KB146389

읽기의 의미

publisher   instagram   Im Ju Hye

읽기의 의미

초판발행 2023년 7월 19일
지은이 임주혜
펴낸이 최대석 **펴낸곳** 행복우물 **출판등록** 307-2007-14호
등록일 2006년 10월 27일 주소 경기도 가평군 경반안로 115
전화 031-581-0491 팩스 031-581-0492
전자우편 book@happypress.co.kr
값 16,500   ISBN 979-11-91384-51-2

읽기의 의미

임주혜 산문

즐거운 발견

언젠가 조금 특별한 광고를 본 적이 있습니다. '아무 의미가 없는 사진을 보내주세요. 보내주신 사진 중에서 가장 의미가 없는 사진을 골라 상금을 드리겠습니다.'라는 것이었습니다. 의미 없는 사진을 고른 사람들은 형체를 알아볼 수 없는 사진, 까만 배경뿐인 사진. 그야말로 의미를 두지 않기 위해 노력한 사진들을 보냈습니다. 드디어 광고를 낸 곳에서 결과를 발표했습니다. '의미 없는 사진을 발견하지 못했습니다. 그러므로 이번 대회의 수상작은 없습니다.' 였습니다. 결과적으로 이 대회가 광고였다는 것을 알아차린건 마지막 문장 때문이었습니다. "우리의 필름으로 찍은 모든 사진은 모두가 의미 있다는 사실을 다시 한번 알게 해주신 참가자분들에게 감사드립니다." 어차피 결과는 이미 정해져 있었습니다. 사진으로 찍힌 이상 의미는 어떻게든 있었을테니까요.

　저는 가끔 저의 존재를 이 의미없는 사진과 같다고 생각합니다. 평범한 하루는 재미없고 매일 같은 자리, 같은 곳, 같은 거리는 특별하지 않습니다. 이 날들 속에 나란 사람의 의미는 도대체 어디 있는 걸까 생각합니다. 평범하기만 한 날들은 무료하고 지루합니다. 이런 생각의 꼬리에 잠 못 이룰 때쯤. 저는 언제나 문학을 만납니다. 그럴 때마다 사진처럼 찍힌 제 모습을 바라봅니다. 세상에 어떤 모습으로든 존재하는 나를 발견합니다. 나란 의미가 살아있음을 발견합니다. 어쩌면 의미를 찾는다는 건 우리에게 본능과 같은 일일지도 모릅니다. 우리의 존재가 곧 의미니까요.

　의미란 무엇일까를 찾다가 형체를 알 수 없지만 태어남과 동시에 나에게는 언제나 그 의미가 따라다니고 있다는 사실을 알아차릴 때가 있습니다. 알아차림과 동시에 이제는 그 형체를 붙잡고 싶습니다. 그 의미의 의미를 찾아야만 합니다. 저는 그 과정을 이야기에서 찾습니다. 그리고 문학을 사랑하는 작가들의 글에서 찾습니다. 삶을 허무함이라고 규정하는 어느 사상가의 논리도, 내세가 있다고 굳게 믿는 신학자의 믿음도, 그 모든 것이 만들어 낸 삶에 대해 저는 모두 필요하고 가치있는 인생이라고 생각합니다. 죄가 있고 회심이 있고 악이 있고 선이 있기에 이야기가 존재하기 때문입니다. 다만 모두 각기 다른 모습으로 존재하는 인생과 인생의 의미가 존중받느냐 그렇지 않느냐의 문제는 또 한 페이지를 적어야 하는 중요한 일입니다.

지난 몇 년간 만난 이야기들을 통해 저는 또 다른 삶의 의미를 발견했습니다. 무한한 이야기는 유한한 저를 돌아보게 하고 언제나 새로운 글쓰기를 두렵게만 합니다. 그럼에도 불구하고 제가 이 일을 지속할 수 있는 건 끝없는 이 배움의 과정이 가장 행복한 일이기 때문일 겁니다. 그것은 나를 알아가는 과정이고 나와 다른 누군가를, 세상을 이해하는 유일한 방법이니까요. 제가 읽은 글을 통해 쓰게 된 이 몇 편의 글들은 아직 다다르지 못한 영역의 의미로 조금씩 다가가는 과정일 것입니다. 저는 감히 조금 더 많은 사람들이 이 과정에 동참해주길 바랍니다. 읽기를 통해 우리는 비로소 고민하고 생각하며 때론 사랑하고 절망할 때 희미하게만 보였던 타인의 마음과 세상을 움직이는 진짜 힘이 느껴질 거라고 믿기 때문입니다. 제 글을 통해 더 많은 이들이 책 읽기를 즐거워하기를 바랍니다. 이 글을 통해 누군가가 이미 존재하는 삶의 작은 의미를 발견한다면 저는 그것으로 오늘 나의 평범한 날들을 한 번 더 사랑하게 됐다고 말할 수 있을 것 같습니다.

2023년 1월

차례

2부

3부

4부

5부

6부

1부

언젠가 만날, 나의 페르소나주
– 실비 제르맹 〈페르소나주〉

나는 이름이 많다. 우리 개개인은 하나의 독립된 개인. 그리고 어느 공동체에 속한 구성원, 타인에게는 또 다른 타인이다. 자아와 타인으로 살아가는 우리의 이름은 어디에 한계를 두고 있을까. 나는 관계에 있어 명확한 선과 존재를 확인하기 위해 타인의 만남에 직함을 중요하게 생각한다. 관계를 설정해 주는 다양한 직함은 때로 무게가 있어 벗어버리거나 내려놓고 싶지만 그 욕망이 발화되는 순간 갈등이 생긴다. 갈등이 가로막고 있는 것일까. 어디에서부터 출발이었는지 모르지만 대부분의 사람들은 이 굴레를 벗어나지 못한다. 어쩌면 관계는 언제나 속박을 전제로 하는 것이 아닐까. 속박이 답답함으로 느껴질 것을 대비해 처음부터 시작을 망설이는 사람들도 있다. 나 역시 그 시작을 망설이는 쪽에 속한다.

관계를 왜 시작해야 할까. 우리는 왜 타인을 만들고 공동체에 속해야만 할까. 누구의 무엇이나 어디서의 어떤 이가 아닌 나로 내가 될 수는 없을까. 생각해 보면 애초에 그런 꿈은 그저 꿈일 뿐일 수도 있겠다. 태어남과 동시에 우리는 (각각의 모양은 다를 테지만) 가족이란 관계 설정으로 태어났으니 말이다. 각자의 삶에 주어진 연결고리는 그 고리의 모양대로 나를 이루고 '나라는 모습'의 이미지가 된다. 이렇게 주어진 이미지가 나의 모든 모습을 대변해주는 것은 아닐 수 있다. 그러나 보통은 '나의 이미지'가 '나'라고 착각하는 것에서 비극이 시작된다. 나는 이 비극을 시작하거나 반복하고 싶지 않아 때로 소설을 펼친다. 내가 아닌 타인의 이미지를 통해 그 이미지 속에 숨겨진 타인의 진짜 모습을 발견하는 재미가 쏠쏠하다.

　소설에서 인물설정과 인물의 시점이 소설 분위기의 절반을 차지한다 해도 과언이 아닐 테지만 언제나 그것이 전부는 아니다. 인물은 소설 속에서 이미지로 존재하기 때문에 이야기를 이끄는 주체임과 동시에 독자로 하여금 언제든 변화가 가능한 존재다. 나는 그래서 소설 속 인물들을 사랑한다. 나와의 관계에서 세상 가장 자유하기 때문이다. 실비 제르맹의 〈페르소나주〉는 작가가 사랑하는 소설 속의 인물들을 지금 나와 같이 객관적으로, 때론 주관적으로 바라본 글이다. 또는 그렇게 노력하는 글이라고 설명할 수도 있겠다. 글쓰기의 원동력이 되는 인물들, 공허함만이 남는 여백을 삶으로 채우는 인물들에 대한 찬사가 담겨있다. 나는 그녀의 글을 읽으며 실비 제르맹이라는 인물을 지금 내가 생각해야 할 유일한 페르소나주로 생각했고 그녀가 글쓰기를 대하는 마음, 삶에 대한 연민 등을 느낄 때면 정말 감동이 밀려왔다. 소설의 인물들과 그 인물이 채우는 이야기를 사랑한 작가는 그 작가의 삶이 인물들과 닮아있다. 그리고 그녀는 끊임없이 자신의 내면에 있는 글쓰기에 대한 욕망, 즉 스스로에게 있는 페르소나주들을 찾아 헤맸다. 그 과정은 그대로 소설이었다. 이야기를 사랑하는 나는 이야기만이 삶과 삶 속에서 만나는 관계를 대변해 준다고 믿고 있다. 어려운 말이다.

그 어려운 말을 이렇게 이야기해보면 어떨까. 나는 나의 엄마를 생각하면 가슴이 먹먹하다. 엄마의 희생, 엄마의 인생을 떠올려서가 아니라 우리의 관계를 떠올리면 그렇다. 엄마와 딸이라는 관계는 변하지 않은 모습으로 평생 동안 설정되어 있다. 우리는 그 관계로 인해 수많은 이야기를 만들어낸다. 혈육이라는 관계설정은 그 이야기를 끝낼 수 없도록 만든다. 끝나지 않아 힘겨울 때도 있고 다행일 때도 있다. 엄마와 말다툼을 한 후 엄마가 눈물을 흘리는 모습을 본 날이면 나는 이 관계를 어떻게 치유하고 다음 이야기를 어떻게 전개해야 할지 모르겠다. 그런데 이야기는 흘러간다. 내가 의도한 대로 가지도 않는다. 그 이야기는 쌓여 우리가 된다. 그 순간과 그 모든 것이 쌓여 오늘도 엄마는 나의 페르소나주로 존재한다. 엄마의 이미지는 엄마를 전부 담아내지 못하지만 엄마가 나의 페르소나주가 되었을 땐 무한한 이야기로 변한다.

나는 내 삶에 나의 사람들과 그 사람들의 사람들이 각각의 페르소나주가 되어주길 바란다. 모두가 가치 있는 이야기로 남겨졌으면 좋겠다. 나는 이야기를 사랑할수록 열심히 사는 삶 이후엔 허무함이 남는다는 철학자들의 말들이 틀리길 바란다. 이런 바람들이 또 허무함으로 남을 수도 있을 거라는 의심도 함께 머문다. 실비 제르맹은 말했다.

"저 아래서 겨우, 마비된 그녀의 정신 속에서 작은 전율

20

이 일어났다. 경탄은 아니었다. 영감의 소생도 아니었다. 그저 갑자기 생겨난, 어딘가에서 풀려나온 듯한 실오라기 같은 가벼운 생각이었다. 나무 한 그루도 등장인물이 될 수 있겠다는 생각. 모든 것이 다 사라지고 나면 말이다. 그걸로도 좋았다. 그녀는 침묵에 다시 빠져 들었다."

관계에서의 반복적인 회피, 공동체에서의 의미 없는 날들을 발견한다 해도 나는 내가 멈추지 않았으면 좋겠다. 우리의 이야기가 다시 침묵에 빠져들지라도, 모두가 다 그 침묵의 주인공이 될 수만 있다면, 그런 확신으로 끝까지 이야기를 쓰는 나로 남고 싶다. 아직 만나지 못한 나의 페르소나주들이 있다. 할 일이 많다.

우리 안의 힐빌리

- J. D.밴스〈힐빌리의 노래〉

서점에서 책을 사고 집으로 돌아오는 길. 카페에 들러 커피와 함께 책을 지척에 두고 가만히 세상의 소리를 들어본 적이 있는가. 커피 한 잔의 여유라는 뻔한 말을 무색하게 하는 세상의 소리에 화들짝 놀라고 오늘날 내가 펼칠 이야기가 이 복잡한 세상에 과연 필요한 이야기인가 생각할 때가 있다. 나는 왜 책을 읽는가, 우리에게 이야기는 왜 필요한가, 라는 질문이 이어질 때 언제나 나를 붙잡아주는 건 결국 또 이야기다.

처음 〈힐빌리의 노래〉를 읽고 이야기에서 아직 빠져 나오지 못하고 있을 무렵이었다. 한 예능프로그램에서 익숙한 장면이 나왔다. 어느 유명 연예인이 내가 읽고 있던 이 책을 들고 있었다. 이야기를 사랑하게 되면 책의 표지만 봐도 알게 된다. 나와 같은 이야기를 읽고 있는 누군가를 발견하게 된다면 더 빨리 눈을 돌릴 수 있다. 평소에는 관심도 없던 사람이었는데 저 사람도 내가 읽고 있는 이 이야기에 관심이 있구나, 하는 마음에 그의 동작을 유심히 본다. 이야기는 작가와 독자, 또는 독자와 독자 간의 알 수 없는 연결고리를 만들어주곤 한다. 그러나 오늘날 일상에서 그 공감대를 경험하기란 쉽지 않은 것 같다. (문학을 좋아하는 나의 개인적인 생각으론 안타까운 현실이다.) 같은 이야기를 읽었다는 것만으로도 상대방과의 벽이 허물어진 느낌이 들곤 하는데, 나는 때때로 이보다 더 짜릿한 경험을 하곤 한다.

나의 밥벌이는 방송 원고다. 다양한 매체를 전전하며 방송글쓰기를 하고 있지만 특히 애정이 가는 건 역시나 라디오 글쓰기다. 지난 10년동안 주말을 제외하고 라디오를 위한 글쓰기를 단 하루도 쉬어본 적이 없기 때문이다. 이것은 스스로에게 잘했다고 말하고 있는 나의 영광이다. 누구도 알아주지 않고 보이지 않는 곳에서 글을 쓰지만 나는 언제나 나의 글을 읽고 듣는 사람들을 생각하며 글을 쓴다. 나의 글쓰기는 나의 세상에서 만큼은 당당하고 자랑스럽다. 그것이 좋은 글이든 좋지 않은 글이든 평가받을 이유를 제외하고서라도 말이다. 나의 글을 듣고 청취자들에게 피드백이 올 때가 있다. 나의 글이 누군가의 삶과 맞닿아 있을 땐, 청취자들이 절절한 사연들을 보내주기도 한다. 청취자들의 글들은 놀랍다. 소설 속의 이야기처럼, 아니 그보다 더한 삶을 살아낸 증인들을 만나기도 한다. 문자로 또는 인터넷 게시판으로 청취자들의 삶의 이야기를 듣는다. 사람들의 생김새가 모두 다른 것처럼 그 삶의 모양도 다 다르다. 사람들의 삶의 모습은 나의 상상보다 더 비참하기도 하고 소설보다 더 화려하거나 어리석기도 하다. 다양한 사람들이 함께 모여 사는 세상은 언제나 혼란스럽고 시끄럽다. 저마다의 복잡한 사연과 슬픔과 기쁨. 삶의 희노애락이라고 불리는 치열한 인생들. 나는 이 삶을 자세히 들여다 볼수록 삶의 수레바퀴가 너무 복잡하고 크게 느껴져 혼란스러울 때가 있다. 내 삶 역시 이 상태로 머물고 있다가 나만의 세상이라는 건 만들어볼 시도조차 하지 못한 채 사라질 것 같아 두렵기도 하다.

좋아 보이는 것 또는 어딘가에 드러나 반짝이는 것은 누구나 동경한다. 조금만 고개를 돌리면 보이지만 그 외에 다른 것들은 쉽게 외면하는 현실이 때론 비참하다. 어둠의 영역에서 존재하고 있는 별들이 있어야만 반짝이는 것들도 존재할 수 있다는 사실은 당연함에도 불구하고 깊은 사유를 동반해야지만 가능한 현실이다. 우리는 빛나고 있는가 아니면 어둠 속에 있는가. 또는 어둠이 자욱하지만 어둠을 외면한 채 살아가고 있는가. 어둠을 어둠이라 말할 수는 없는 것인가. 나는 다양한 사회적인 논쟁과 함의가 가능한 세상이 더 속히 도래하기를 바란다. 현실을 조금 더 직설적으로 마주하기를 바란다. (생명 존중에 대한 생각을 원천적으로 차단하는 구조를 유지한 채 오랜 세월 유지된 가축 공장식 사육 시스템이나 아동과 노인, 장애인들의 시설을 혐오시설로 분류해 도심을 벗어나 인적이 드문 외각에 자리 잡는 등의 현실. 이 모든 것들을 당연하게 생각하는 인식과 변화를 혐오하는 세대, 계층간의 갈등. 이것이 우리의 현실 아닌가.) 온전하기를 바라는 우리의 모습을 두고 말하고 싶다. 과연 우리는 온전한 존재인가. 그렇지 않다.

〈힐빌리의 노래〉가 고마웠다. 외면할 수도 있는, 아니 어쩌면 외면하려고만 애썼던 진짜 삶의 이야기를 덜하지도, 더하지도 않은 모습으로 남겼기 때문이다. 우리는 여전히 잘 갖춰진 모습으로 살고 있지만 마음 속 어딘가엔 힐빌리를 근본으로 갖고 있다는 작가의 통찰력은 그 자체로 위로가 된다. 카메라 앞에서 언제나 화려한 모습으로 서 있는 사람들, 길다면 긴 자신의 이력과 경력이 자신의 모든 걸 이야기해 줄 수 있을 거라 여기며 진짜 이야기를 말하기도 전에 가면을 쓴 채로 자신을 소개하는 사람들. 그들의 내면에 살고 있는 진짜 그들은 어떤 힐빌리를 갖고 있을까. 이제는 조금 더 솔직해져야 할 때. 화려한 겉모습보다 더욱 본연의 아름다움을 추구해야 할 때. 세상에 많은 부분을 차지하는 슬픔과 비참함에 대면해야 할 때. 이는 아무리 강조해도 지나치지 않는다고 생각한다. 나의 힐빌리는 나 스스로가 알고 있다. 한 번도 화려해본 적은 없지만 나에게도 언젠가 반짝이는 날이 온다면 그것은 팔할이 나의 10년의 글쓰기, 나의 힐빌리 덕분이라 말하고 싶다. 그 날이 오지 않아도 괜찮은 마음 또한 나의 세상을 지금도 단단하게 만든 나의 힐빌리 때문이다.

헤일메리 작전이 성공할 때까지

- 앤디 위어 〈프로젝트 헤일메리〉

'나'라는 우주에 대한 끊임없는 탐구는 어떤 이들에게 필요할까. '우리는 오로지 부재 속에서만 제대로 볼 수 있고 결핍 속에서만 제대로 말할 수 있다.'[1] 는 보뱅의 글은 '나'라는 우주에 대한 끊임없는 탐구의 기록이 유의미한 과정임을 알아차리게 한다. 생각해 보면 내가 좋아하는 작가들은 '나'라는 존재에 대한 탐구에서 글쓰기를 시작했고 죽는 날까지 나 자신과 나를 둘러싸고 있는 우주를 생각하다가 괴멸하거나 평안했다. 나는 이들의 끈질긴 '나'에 대한 애착을 이해할 수 없을 때가 많았다. 그렇다고 '나는 그렇지.' 하며 단정하기도 싫었다. 종교나 과학이나 시작은 나를 찾고 싶은 마음이다. 어디에서부터 왔고 어디로 갈 것인지. 조금 더 의미 있는 일을 찾는다면 나아가 이 지구와 우주의 시작도 궁금했을 거다. 어쨌

---

1 〈작은 파티 드레스〉 크리스티앙보뱅 저, 이창실 번역, 1984books

거나 결론은 같다. 나를 찾아라.

  인간은 완벽히 나를 찾을 수 없다. 나는 결과적으로 이
문장에 동의한다. 언제부터 시작됐는지 언제 끝이 날지
모르는 시간은 유한한 인간의 사고로 만든 산물이다. '시
간'이라 불리는 것은 형체도 보이지 않고 잡히지 않기에
그대로 애매할 뿐이다. 그래서 오늘이란 무조건 선물이
다. 모두에게 공평하게 주어진, 다시 돌아오지 않는 것으
로도 충분히 완벽한 선물. 오늘을 산다는 것에 생명으로
우리의 존재는 동일하다.

  이 부분을 탐구하는 자세는 결핍에서 비롯된 경우가
많다. 나 역시 그렇다. 이 결핍을 해소하는 방법은 사람마
다 다르다. 개인이 처한 환경마다 다르게 표출된다. 자신
의 삶에 놓인. 한쪽 면만을 살아가면서 이 방법이 유일하
고 완벽한 삶의 방법이라고 믿으며 살아가는 사람도 있
다. 그런 생각이 잘못된 거라고 단언하거나 판단하지는
않는다. 어차피 인간은 유한하니까 보고 싶은 면만을 보
는 게 당연할 걸지도. 그렇지만 내 삶에서는 그렇게 하고
싶지 않다. 나의 유한함을 무한하게 인정하며 살아가고
싶다. 그래서 나는 내 안에 우주만큼 우주가 궁금하고 다

른 사람들의 우주가 궁금하다.

우주를 찾기 위한 나의 방법은 책읽기다. 새로운 책의 첫 장을 펼치는 순간은 언제나 위기가 닥친다. 편협한 생각이 나의 물리적인 힘을 제어한다. 그건 내 취향이 아니지, 그건 내 전문 분야가 아니니까. 하는 생각. 그래서 포기한 글들이 여전히 많다. 그럼에도 불구하고 나의 생각을 이기고 내 안의 물리적 힘이 뭔가 일을 해 내는 순간, 나는 다시 새로워진다. 어딘가에 존재했던 새로운 우주를 만난다. 그 순간은 책읽기를 이어나가게 하는 원동력이 된다. 그 원동력이 가속도를 만날 땐 서평이나 인스타피드용 독후감으로 이어지기도 한다. 그러다 행운처럼 나와 같은 생각을 가진 누군가를 만날 땐 독서의 희열을 경험하기도 한다. 이번엔 진짜 우주여행이었다. 지구를 구하기 위한 여행, 누군가와의 조우를 위한 여행, 이 세상에서 감히 경험해 볼 수 없는 우정과 사랑을 확인하는 여행. 〈프로젝트 헤일메리〉를 펼치며 나는 이 모든 순간을 만났다. 내가 나를 잠시 이겨보니 새로운 내가 기다리고 있었다. 그 이김의 과정이 바로 독서라는 걸 한 번 더 경험했다.

나는 책 읽기의 중요성을 이렇게 말한다. 오늘의 발걸음이 전부라고 생각하거나 나는 원래 이런 사람, 평범하고 또는 평범 이하여서 별 볼일이 없는 사람. 혹시나 자신을 이렇게 생각하는 누군가에게, 당신 안에 있는 우주를 발견하라는 신호는 당신이 책장을 넘겨야 발견할 수 있다고 말이다. '나'라는 우주를 아직 발견하지 못해서 자신의 주변에 공허한 빈틈이 얼마나 큰지 모르는 당신에게 전하고 싶다. 세상의 수많은 이야기들은 그 채울 공간의 든든한 양식으로 기다리고 있다. 썩지 않고 아니 오히려 언제나 가장 신선한 상태로 말이다.

책 읽기에 대해 강조하는 이유는 바로 지금의 시점 나에게 전하고 싶은 말이기 때문이다. SF소설은 어려울 거야, 난해하고 복잡할 거야. 나는 과학적 지식도 없는데 이걸 어떻게 이해해? 라는 질문과 반문으로 가득했던 나에게 찾아온 소설은 내 삶에 볼품없는 여백을 풍요롭게 채워줬다. 소설을 읽는 동안 여전히 내게 부재와 결핍이 존재하는 것이 다행이라 여겨졌다. 이쯤에서 더욱 나를 짜릿하게 하는 것은 이 부재와 결핍은 죽을 때까지 완벽히 채워지지 않는다는 것. 그렇기에 이야기는 끝이 없고 우리가 남길 이야기 역시 끝이 없다는 것. 그렇기에 나는 당신을 판단하다가도 겸손해진다는 사실을 알아차린다. 누군가의 상처가 되는 말에도 내 삶엔 이미 충분한 여백이 있으니 깊게 파이지 않고 좁은 공간에서의 삶이 전부이고 결론이라 말하는 누군가에게 다툼을 용납하지 않으며 나의 생각을 속단하지 않게 된다는 것. 이 모든 것을 가능하게 하는 나의 결핍은 언제나 좋은 것이다.

내 안의 우주와 타인의 우주, 그리고 저 너머의 우주를 발견하는 이 일에 더 많은 사람들이 동참했으면 좋겠다. 내가 외롭지 않게 말이다. 일단 오늘 나는 결심했다. 읽기를 계속하기로 말이다. 언제까지? 헤일메리 작전이 성공할 때까지.

질서는 그저 유용하다.
- 룰루밀러 〈물고기는 존재하지 않는다〉

특별한 일상이란 지역방송국을 전전하는 작가에게는 어울리지 않는 말이다. 지역의 특성상 작은 규모의 방송 환경 때문에 큰 이슈랄 것도 없다. 선배의 말을 빌리자면 우리는 대단한 일을 하는 건 아니지만 그렇다고 대충 해서도 안되는 시스템에 갇혀 있다. 방송은 방송이기 때문에 방송답게 만들어야 하고, 결과물에 비해 인력이 턱없이 부족하기 때문에 작가는 해야 할 일보다 더 많은 일들을 당연히 해야 한다. 작가의 능력이 미치는 범위는 매 순간 최대한 넓고 정확하게 끌어안고 가야 한다. 소수의 인원이 해내야 하는 일이니, 퀄리티 있는 방송을 만들기란 정말 어려운 일. 그렇기에 뜻하지 않은 순간에서 보람이 있는 것도 사실이다.

한 번은 내가 진행하고 있는 라디오 생방송에 영화감독 게스트가 출연했다. 나는 그에게 방송 내용에 대해 전달 사항이 있어 전화를 했다. 전달사항 뒤에 이야기는 길어졌고 영화 산업에 대한 걱정까지 하게 됐다. 젊은 날 데뷔를 하게 된 감독은 영화를 진심으로 사랑하는 사람이었다. 오래 전 단막극 연출로 감독 일을 시작했던 그는 조금 더 영화에 대해 공부해야겠다고 생각했고 미국으로 유학을 떠났다. 미국에서의 생활은 단순히 공부하는 행위를 넘어 새로운 인간관계와 생각의 지평을 넓혀주는 좋은 계기였다고 한다. 한국으로 돌아와 꽤 큰 영화 제작사에 속해 영화 평론도 하고 다양한 제작 환경에서 활동하며 작가 겸 감독이 됐다. 그와 함께한 영화의 이야기는 자연스럽게 삶의 이야기가 됐고 내가 맡고 있는 방송에 몇 번 출연하며 친분을 쌓았다. 그가 어느 날 나에게 이런 말을 했다.

"작가님도 다른 일들을 해보면 잘 하실 것 같아요. 영화에도 관심이 많으시고…….."

왜 생각해보지 않았을까. 매일 아침 생방송을 끝내고 집으로 돌아오는 길. 나의 반려견 고동이와 동네를 산책하며, 저녁에 먹을 과일을 사고 장바구니를 정리할 때, 책을 읽고 독후감을 쓰는 오후에. 나는 종종 생각한다. 오늘 나의 질서가 나의 발목을 잡는구나. 나는 벗어날 수 없겠지. 라는 생각.

나의 삶은 어느 순간 어딘가에 머물러 있다. 그것은 보이지 않는 질서. 나만의 원. 누구도 강요하지 않았지만 벗어날 수 없는 삶의 모양. 나의 세계는 이렇다. 지방 방송국들을 전전하며 쓴 글들은 작품이라 하기에도 민망한 결과물들, 시상식 하나 없는 프로그램. 그렇다고 의지할 동료들도 없는 나는 프리랜서 방송작가일 뿐이다. 이렇게 생각하면 내가 만든 나의 질서는 나를 파괴하고 있다. 나다운 나의 모습을 바라보지 못하도록 방해만 하고 있는 중이다. 나는 때때로 이런 절망 속에서 숨을 죽일 때가 있다. 그때 나에게 온 책이 바로 〈물고기는 존재하지 않는다〉였다.

이 책에서 이야기했던 일화들을 삶에 대조하거나, 주인공 '데이비드 스타 조던'에 관한 나의 생각을 이야기하자면 지면을 한 번 더 활용해야겠지만 언젠가 내 삶을 조금 더 면밀하게 들여다보고 쓸 용기가 생기거든 그 때 꼭 쓰고 싶다. 허나 지금은 앞서 내가 나의 질서에 관한 이야기를 적은 이유에 대해서 말해야겠다.

나는 이 책을 읽고 나를 완성한 질서에 대해 의심하기 시작했다. 질서는 어쩌면 허상일 뿐이며 우리는 우리도 모르게 우리 삶을 규정한 질서를 종교로 받아들이며 살고 있는건 아닐까, 생각했다. 평론가 신형철은 그의 책에서 말했다. '신은 인간이 만들어 낸 발명'이라고 말이다. 물론 그는 '신을 믿는 사람들에 관하여 잘못됐다고 감히 말할 수 없다'는 말을 덧붙였다. 아마도 그건 신은 인간에 의해 발명 됐다는 그 사고 역시 보이지 않는 질서로 인해 만들어진 결론일 수 있어서가 아니었을까. 중요한건, 그렇지 않을까? 의심하는 자세. 그 뿐이다.

우리가 물고기라고 믿었던 모든 것들이 허상이라면? 그것이 인간에 의해 발명된 하나의 질서일 뿐이라면, 이야기는 처음부터 다시 시작해야 한다. 그런데 여기서 내가 말하고 싶은 건 비단 물고기에 국한해 이야기하고 싶지 않다는 거다. 나의 질서, 나도 모르게 내가 만든 질서들은 지금도 나를 움직인다. 심지어 가야할 방향을 제시하기도 한다. 그런데 나는 이 질서를 벗어날 수 있을까?

벗어난다는 생각은 또 다른 질서에 갇혀있는 사고가 아닐까? 우리는 의심해봐야 한다.

나에게 영화 쪽의 일을 해보는 것도 좋을 것 같다고 조언해 준 어느 영화감독의 말은 그저 평범한 조언이 아니었다. 나의 질서를 조금 더 유용하게 열어두라는 신호였다. 어제 밤. 그에게 방송 스케줄을 보내며 나는 이런 말을 붙였다. "감독님, 뭐든 다 좋죠. 누구든 뭐든 다 될 수 있는 거 아니겠어요? 아무튼 지금은 제가 만드는 방송에 감독님께서 함께 해주셔서 기쁩니다!" 이것은 나의 질서에 들어온 감독님을 환영한다는 뜻이었다. 나의 질서는 언제나 당신의 질서 옆에 있기에 유용하다.

문득 생각나는 여행
- 유홍준 〈나의 문화유산 답사기〉

외로움은 관계가 아닌 일을 마주할 때 떠오르는 단어
다. 방송작가라 하면 연예인들도 좀 만나고 매일 시끌벅
적한 회의에 프로그램 답사에 바쁘고 활력이 넘칠 것 같
지만 나의 일은 무척이나 외롭다. 선배들의 말을 빌리자
면 지방에서 방송작가로 살아남는 방법은 일이 그저 생
활이 되는 것이다. 방송 일을 하면서 시집도 가고 육아도
할 수 있고 잠깐 쉬었다 와도 내 자리가 있으니 그것으로
만족하는 것. 더 나아지거나 더 좋은 프로그램을 만들려
는 욕심보다, 있는 그대로의 상태를 잘 유지하거나 그저
없어지지 않으려 노력하는 일에 적응해야 한다는 거다.
현상유지는 쉽지 않다. 무료함을 이겨야 하고 작은 우물
속의 가소로운 정치질에도 눈을 감을 수 있어야 한다. 모
두가 나의 그릇에 맞지 않는 곳이라고 생각하면서도 그

그릇을 빠져나올 용기는 없으니 그저 '생활이 되어야 한다'는 굴레에 자신을 우겨넣어야 한다. 그도 그럴 것이, 만드는 사람은 최소 인원으로 좋은 프로그램을 만들어야 하니 할 일이 많다. 그놈의 많은 할 일들은 개개인의 작고 무거운 자부심으로 단단해진다.

물론 지방 방송의 색깔도 프로그램의 특징마다 다르고, 방송국의 사정마다, 제작진의 생각마다 달라진다. 사실 나는 이렇게 때에 따라 작은 이유에 따라 달라지는 것이 문제라고 보는데 내가 문제라고 생각하는 건 아무 소용없기에 오래 전 접은 생각이다. 지역 방송국에서의 밥벌이지만 함께 일하는 좋은 사람들이 있고 내가 사는 모양대로 함께 살고 있는 청취자들이 있어서 나는 이 일이 기쁘고 고맙다. 지역이기 때문에 제약도 많고 적극적으로 나설 수 없는 모양도 분명 있지만 나에게 있어서 지역 방송 제작은 오늘을 사는 사람들과의 소통을 가능하게 하는 끈과 같아서 포기할 수 없다.

특히 라디오 원고는 애정이 더 많이 간다. 방송 원고를 쓸 때 가장 중요하게 생각하는 점이 있다. 차 안에서 노래를 듣는 것처럼 의식 없이 이야기가 들려야 한다는 점이고. 차 안에서 들었던 노래를 나도 모르게 흥얼거리는 것처럼 라디오에서 들리는 이야기들이 언젠가 문득 생각났으면 좋겠다, 라는 바람을 담는다. 나는 그렇게 '문득 생각나는' 이야기를 만들기 위해 종종 여행을 떠난다. 내가 떠나는 여행이란 거창하지 않다. 내가 진짜 즐기는 여행은 대부분 큰돈이 필요하지 않아서 좋다.

내가 생각하는 세상은 모든 것이 아름답다가도 모든 것이 보잘 것 없다. 나는 여행을 통해 이 간극에서 내 글쓰기를 위해 순간의 아름다움과 순간의 보잘 것 없음을 포착한다. 여행지에서 일상으로 돌아와 평범한 아침을 맞이한 어느 순간. 어느 때는 아름다움을, 어느 때는 보잘 것 없음을 이야기한 글을 완성한다. 그 기쁨은 이루 말할 수 없다. 이 글이 라디오를 위한 원고라면 그리고 그 원고가 누군가의 목소리로 잘 전해진다면 감동은 배가 된다. 라디오 원고는 기쁨으로 쓰지만 언제나 완벽하지 않다. 아니 어쩌면 단 한 순간도 완벽했던 적이 없었던 것 같다. 완벽함을 추구하기엔 내 세월이 부족하다는 이유도 있겠지만 완벽할 수 없다는 게 내 결론이다. (글쓰기가 과연 완벽할 수 있을까? 까뭐도 하지 못한 일인데 말이다.) 아름답거나 보잘 것 없거나, 둘 중 하나를 선택하는 것이 아닌 그 간극에서 언제나 조율하는 일은 정답이 없는 일이다. 글쓰기가 그렇고, 여행이 그렇다.

해마다 찾아오는 연말이면 내년에 내가 만나는 세상은 어떤 곳일까를 생각한다. 지난날들과 별반 다를 것이 없을까? 조금 더 새로운 만남이 있었으면 좋겠고, 새로운 풍경을 보고 싶고, 낯설고 어색한 일들을 만나고 싶은데 과연 그럴 수 있을까? 언제나 나는 방구석에서 오늘의 책을 읽고, 내일의 원고를 쓰고 고동이와 산책을 할텐데 말이다.

무엇을 해야 할지, 어디로 가야 할지 생각만 했던 나를 세상으로 이끌었던 책이 여기 있다.너무도 유명한 시리즈. 〈나의 문화유산답사기〉. 부모님의 서재에도, 교보문고의 여행 베스트셀러 코너에도, 친구네 집 작은 책장에도 한 권 쯤 있는 책. 대한민국 여행 가이드 책으로 아마 가장 클래식한 책이 아닐까 싶다. 이 책을 읽고 떠나기로 마음먹는 순간 새로운 세상이 펼쳐진다. 새로운 세상을 만나기 위한 준비물은 의식 없이 듣는 라디오의 음악과 이야기. 이것이 전부가 아닐까. 듣는 이는 의식없이 들어도 되지만 누군가는 치열함과 괴로움으로 만들었을 허무하고도 완벽한 모든 이야기. 그 이야기는 언제나 어디로 든 누구에게나 새롭게 가는 길을 온전히 자신의 것으로 충만하게 할 것이다. 이제 내가 가고자 했던 그 곳에 도착했다면 그 곳에서 만나는 모든 것을 오늘 내 삶의 이야기로 채우고 오기만 하면 된다.

"사랑하면 알게 되고 알면 보이나니, 그때 보는 것은 전과 같지 않으리라."

당신이 '아니에르노'를 읽었으면 좋겠어요

- 아니에르노 〈다른말〉

　누군가를 처음 만나는 자리는 언제나 설레고 긴장된다. 며칠 전 새로운 프로그램 회의로 출연자들을 만나기로 했다. 나는 해야 할 말과 생각들을 정리해 회의에 참석했다. 본론으로 들어가기 전 어색한 분위기를 깨야 했던 탓에 일상적인, 또는 취향을 묻는 등의 이야기를 했다. 오랜 세월 사람들을 많이 만나는 직종에 종사한 사람들의 특징이 있는데 (물론 이것도 사람마다 다르겠지만) 알 수 없는 사람간의 기싸움에서 일단 자신이 우위를 선점하기 위해, 자연스럽게 자신이 우월하다는 의식이 드러나는 말을 앞세운다. 물론 모든 사람들이 그런 건 아니다. 오히려 겸손의 자세가 우위를 차지할 때, 상황이 예상치 못하게 흘러가기도 한다. 어떤 자세가 유리한 것인가는 말하는 이, 스스로가 알 뿐이다.

지난 회의를 상고하며 그와의 대화를 떠올린다. 그는 처음 만나는 자리에서 은근히 그동안 어떠한 공을 세웠고, 얼마나 오랜 세월 이 일을 했으며 내가 이 분야에서 정말 유명한 사람들을 알고 있다, 하는 이야기를 깔아놓았다. 처음엔 나도 그의 말에 고개를 끄덕이며 대단하다고 동조했지만 내내 기분이 좋지 않았다. 사실 궁금하지 않았기 때문이다. 어서 빨리 본론을 이야기 하고 싶었다. 당신에 대해서가 아니라 우리의 일에 대해 이야기하고 싶다고 말하고 싶었다. (예상할 수 있겠지만 결국 하지 못했다. 한다고 해도 그 상황이라면 이상한 일이었을 것 같다.) 복잡하고 긴장하고 때로는 어색한 나의 사회생활은 언제나 좋지만은 않다. 상대방이 의도한 건 아닐테지만 습관처럼 자랑만을 늘어놓는 사람과 함께 있으면 더욱 그 자리가 불편하게 느껴진다. 내가 스스로 그 자랑을 쿨하게 넘기면 되는데 쉽지 않다.

나는 아니 에르노의 작품들을 좋아한다. 아마 국내에 번역 출간된 그녀의 글 (세월, 진정한 장소, 사건 등) 은 다 읽었을 거다. 그렇게 된 이유는 그녀의 글은 언제나 알 수 없는 모호함이 느껴졌었는데 처음엔 이 모호함을 명확히 하고 싶었다. 쉽지 않았다. 아니 에르노, 그녀의 고유한 작품 세계가 처음엔 익숙하지 않았기 때문이다. 특히 조금 늦은 감으로 읽었던 〈다른딸〉은 그녀의 고유한 문체와 분위기를 더욱 뜨겁게 느낄 수 있었던 글이었다. 자전적이면서도 사회적이고 무엇인가 잡힐 듯한 이야기인 듯 하다가도 결론을 낼 수 없는, 문장의 끝에 무엇이 올지 전혀 예상이 안되는, 알 수 없는 글에 혼란스러웠다. 그러다가 알게 됐다. 처음엔 모호하다 생각했던 그녀의 글은 결코 모호함이 아니었다. 그녀의 모든 이야기들은 자신을 더욱 자세히 들여다보고 더 파헤치고 더욱 본질을 알아내려는 끈질김에 탄생한 명확하고 확실한 결과물이었다. 존재하는 것들은 존재하는 것. 그 이상도 이하도 아닌 그대로일 뿐이다. 그러나 우리의 인간사 수많은 문제들은 그 존재에 언어를 붙이고, 담론을 정하고, 논쟁을 이끌어낼 주장을 할 때 발생한다.

인간사 문제들은 대부분 존재와는 상관 없는 일이다. 아니 에르노는 자신을 들여다보며 자신을 있는 그대로 놓아두기도하고, 새로운 의미로 부르기도 했다. 이런 작업들은 결국 모든 방법을 동원해 자신의 존재를 말하고자 하기 위함이었다. 아니 에르노는 '나'만으로도 해야 할 이야기는 끝도 없이 탄생한다고 말한다. 우리는 어떤가.

반대로 대부분의 시간을 내가 아닌 나를 둘러 싸고 있는 것들에 대해 과도하게 집중하고 의식하는데 에너지를 쏟고 있지는 않은가. 그렇게 해서 온전하게 완성된 이야기를 나는 아직 만나지 못했다. 과도하게 타인의 의식을 중요하게 생각하는 세상에서 아니 에르노의 글은 언제나 나 자신을 돌아보게 한다. 그래서 결론. 아니 에르노의 이야기들은 그 학식과 배경, 인맥을 자랑했던 그에게 절실히 필요하다. 하지만 그는 독서를 좋아하지 않는다.

정말 나는 끝까지 쓰고 싶다
– 정여울 〈끝까지 쓰는 용기〉

간혹 삶에서 뜻하지 않게 위기를 만나거나 마음의 혼란이 잠잠해지지 않을 때가 있다. 나의 경우는 그럴 때면 남편이 먼저 내 상태를 눈치 챈다. 어떻게든 내 마음을 달래주려 자신이 할 수 있는 일을 하는데 소용이 없는 경우가 대부분이다. 보통 그런 상황을 마주한 동기는 자신에게서 출발하기 때문에 나에게는 타인의 도움이 소용없을 때가 많다. 하지만 나는 언제나 당신의 마음이 큰 도움이 된다고 말한다. 마음을 누군가에게 쏟는다는 건 언제나 사랑에 대한 충분함을 전제로 하기 때문이다. 그것은 상황에 따른 문제와 별개의 것이다. 어떤 경우든지 결국 내 문제에 대한 해답은 내 안에 있다.

나의 위기가 끝날 것 같아 보이지 않았던 어느 날이

다. 남편이 나를 위해 결정한 방법은 내가 좋아하는 작가를 만나게 하는 일이었다. 남편의 제안에 이번엔 좀 많이 생각했네 싶었다. 마침 '정여울 작가와 함께하는 북토크'가 인스타그램 피드에 올라왔다. 지방에 살고 있는 내가 유명 작가의 북토크 등에 참여하는 건 어려운 일이다. 그 날 하루의 스케줄을 온전히 그 행사에 맞춰야하기 때문에 그야말로 큰 마음을 먹어야 한다. 하지만 언젠가 한번쯤은 정여울 작가를 만나고 싶었다. 독자는 작품을 통해 시공간을 초월해 작가와 소통하지만 간혹 이것으로 갈증이 해소되지 않을 때가 있다. 정여울 작가의 작품을 읽을 때마다 그랬다. 지금은 다양한 장르에서 활동하고 있지만 그녀의 본업은 평론가. 나는 그녀의 따뜻한 시선이 담긴 평론들을 사랑한다. 윤이형, 정유정, 강영숙, 김영하 등. 그녀만의 해석이 있는 소설들을 다시 찾아 읽으면 상상해보지 못했던 세계를 만나기도 하고 새로운 사유가 생기기도 한다. 그녀 덕분에 나의 세계도 점차 확장했고 본래 사랑했던 문학을 더욱 뜨겁게 사랑할 수 있게 된다.

만나고 싶었다. 어쩜 그렇게 그토록 집요하고 간절하게 시대를 초월해 문학을 사랑할 수 있는지 그 열정을 눈으로 확인하고 싶었다. 〈끝까지 쓰는 용기〉를 쓰게 된 배경을 그녀는 이렇게 말했다. 고흐에서부터 헤세까지. 작가가 사랑했던 예술가들을 만나는 작업을 진행하기로 했다. 글을 완성하기까지 한 작품 당 약 10년의 시간이 걸렸다. 정확히 딱 10년이란 말은 아니지만 빈센트 반 고흐와 헤르만 헤세의 발자취를 따라가는 작업만으로도 그만큼 오랜 세월이 걸렸다는 거다. 그렇게 오랜 세월을 작품과 작가에게 쏟으며 글을 완성했지만 그들의 이야기를 십분의 일도 담지 못한 것이라 했다. 내가 정여울 작가의 글을 사랑한 것보다 더 뜨겁게 그녀는 고흐와 헤세를 사랑했다. 그들의 이야기를 다 담기에 지면은 언제나 부족했다고 말했다. 바로 이 대목에서 나는 지독하게 공감할 수 있었다. 누군가를 사랑해서 쓰게 된 글쓰기의 여정은 오랜 세월을 필요로 했고 힘이 들고 외로웠다. 그러나 그 모든 이유를 넘어선 이유는 언제나 끝까지 쓰는 것이었다.

정여울 작가는 말했다. 그러니 나도 용기를 잃지 말라고 말이다. 그렇게 북토크 1부가 끝나고 잠시 휴식을 갖는 동안 그녀는 독자들에게 직접 사인을 해주겠다고 했다. 나는 내가 읽은 〈끝까지 쓰는 용기〉를 들고 그녀 앞

48

으로 다가갔다. 무슨 말을 해야 하지, 그냥 아무 말도 하지 말까? 어떤 글을 잘 읽었다고 해야 할까. 나도 좋은 작가가 되고 싶다고 말할까? 순서가 다가오는 동안 내 머릿속에서는 이미 아무말 대잔치였다. 책을 전하고 정여울 작가가 사인을 시작하려던 것을 멈추고 나를 빤히 쳐다봤다.

'이름이 뭐에요? '오늘 강연 재밌었어요?'

대답을 제대로 하지 못했다. 내 이름은 제대로 말했으니 다행이다 싶었다. 나는 그렇게 나를 드러내지도 못하고 짧은 대화 아닌 대화 같은 대화를 마쳤다. 그녀는 내 이름과 함께 멋진 사인을 남겨줬다. 내 순서는 순식간에 지나갔다. 그 찰나의 순간. 다정하고 따뜻한 정여울 작가의 감성을 직접 느낄 수 있었다. 다시 끝까지 쓰라는, 써도 된다는 그 용기를 심어준 진한 만남이었다. 다른 사람에게 관심 없는 내가 누군가에게 팬심이 생긴 이유는 단하나. 그녀가 먼저 끝까지 쓰고 있었기 때문이다. 그것도 자신의 글을 사랑하는 독자들에게 위로와 용기라는 끊임없는 메시지를 전하면서 말이다.

나는 언제나 내 글을 휘발하고 다시 쓰고 또 채우고를 반복한다. 내 직업의 특수한 환경 때문이기도 한데 이는 공허한 일을 반복하는 것 같다고 느낄 때가 있다. 하지만 더 끔찍한 건 그 공허함을 그대로 둘 수 없다는 것에 있다. 내 글은 매 순간 소수의 사람들에게 평가받는다. 다시 쓰는 일은 언제나 두렵지만 아무렇지 않은 척 멋지게 완성해야 한다. 내 글쓰기의 끝은 언제나 평가 받는 자리에 놓이니 어느새 이 일 자체를 즐기지 못했던 것 같다. 내가 좋아하는 게 무엇인지, 나는 어떤 색을 갖고 있는 사람인지 생각할 겨를 없이 타인의 입맛에 맞는 글을 써야 한다는 압박도 생겼다. 나에게 끝까지 쓰는 용기가 없었던 거다. 글쓰기에 무슨 용기. 그냥 쓰면 되지. 결코 그렇지 않다. 그 어떤 일보다 용기가 필요한 일. 평가와 시선에서 자유 해야 할 일. 그것이 글쓰기라는 걸 알았다. 그래서 오늘날 내가 하고 있는 이 일에 대한 자부심을 얻게 된 글이다. 누가 뭐라고 해도 멋지고 대단하다는 걸 알려줬던 글이다. 여기는 우리집 방구석. 지금 이 곳에서 나는 글쓰기를 통해 살아있다고 홀로 외치고 있다. 나는 글쓰기를 통해 앞으로도 아프고 상처받으며 그 가운데서 다시 용기를 낼 것이다. 나는 꼭 끝까지 쓸거다.

글쓰기의 과정은 '머릿속에서 지진이 일어나는 것과 비슷하다'는 정여울 작가의 문장이 생각난다. 의식의 검열, 평가에 대한 두려움, 필요한 사람일까 라는 자기의식. 나에게 있어서 글쓰기는 그 모든 것을 넘어선 용기가 가장 먼저 필요한 일이다. 결국 나의 글쓰기의 시작은 언제나 용기였으며 그것이 글쓰기의 전부라 해도 과언이 아니다.

둥근 날을 반복하는 힘
- 김화영 〈행복의 충격〉

학교폭력이란 단어가 언제부터 우리사회의 뜨거운 감자였던가. 한 드라마의 열풍과 함께 대중들의 관심과 공감대를 형성하게 된 학교폭력. 최근들어 더 많은 사건이 벌어지고 그 수법이 더욱 더 잔인해지고 있는 것처럼 보이지만 따돌림과 학교폭력은 아주 오래 전부터 존재해왔다. 문제가 바로 지금에 와서야 비로소 수면 위로 드러났을 뿐이다. 요즘의 이슈와 유행이란 크게 타올랐다가 쉽게 꺼지기를 반복한다. 그러나 사회적 함의가 필요한 이슈에 관하여 우리가 같은 자세를 취하는 것이 과연 옳은 것인지 우리는 개인과 사회에 질문을 던질 수밖에 없다.

나는 지독하고 잔인한 학교폭력의 피해자는 아니다.

그러나 초등학생시절 같은 반 아이들로부터 따돌림을 당한 적이 있다. 아마도 내가 따돌림을 당했다는 사실에 대해 현재의 나의 친구들은 믿지 못할 것이다. 현재의 나는 자존감을 마치 자랑하듯 내세우기도 하기 때문이다. 어디서든 반장을 했다는 말이라면 믿겠지만 내 인생에 따돌림 따위는 존재하지 않을 거라 생각할지 모른다. 그러나 나에게도 그런 시절이 있었다. 그 시절이 다시 반복될 수도 있다는 생각은 내면 깊숙한 곳에서 언제나 두려움으로 꿈틀댔다. 나는 어른이 되면서 좋은 관계를 맺고 함께하는 사람들에게 이 사실을 비밀로 했다. 자랑할 일도 아니었고 어디에서부터 이 이야기를 시작해야할지 모른다는 말이 더 맞을 것 같다.

학창시절 따돌림을 경험한 후 나는 스스로 나를 지키는 법을 배웠다. 지키는 방법의 시작은 그 일을 기억하는 것이었다. 지금으로부터 몇십 년이 흐른 뒤지만 나는 나를 괴롭혔던 아이들의 이름을 모두 기억하고 있다. 피해자는 가해자를 기억하고 가해자는 잊을 수 있다는 말에 대해 본능적으로 이해할 수 있었다. 어른이 되고 객관적으로 나의 현실을 돌아보면 나의 따돌림의 시절은 그리 절망적인 수준은 아니었다. 뉴스에서 보도되는 끔찍한

폭력. 철저한 위계 서열 속에 놓여 있는 작은 사회 속의 아이들의 외로운 싸움. 그 트라우마를 안고 평생 자존감을 회복하지 못한 채로 살아가는 이들을 생각한다면 나의 아픔은 아픔도 아니었던 것 같다. 물론 폭력에 경중은 없다. 어떤 경우도 정당화 될 수 없다. 내가 따돌림을 당한 사실은 분명했고 나는 이 사실로 오늘날 해야 할 이야기가 있기에 이를 쓰기로 했다.

짧은 시기이긴 했지만 당시에 나는 소위 왕따였다. 이유는 지금도 알 수가 없다. 그들의 이해관계 속에 내가 애매하게 끼어 있었고 마침 세력을 넓힌 한 아이가 나를 선택한 것 뿐이었다. 당시에는 참 길게 느껴졌던 시간이었지만 내가 이 모든 시간을 극복할 수 있었던 이유가 있다. 어떤 용기가 났던 건지, 그래도 내가 상대할 만한 아이들이라 생각했던 건지 나는 폭력을 당했거나 모욕감을 느꼈던 일들에 대해 자주 어른들을 찾아가 말했다. 그 어른 중에는 담임 선생님도 있었다. 물론 선생님은 문제를 크게 키우고 싶지 않으셨던 것 같다. 아니면 문제에 대한 심각성을 고려하지 않으셨거나. 나는 왕따 주범자의 부름에 화장실로 끌려간 날이면 그날은 바로 집에 가지 않고 담임선생님을 찾아가 나의 상황을 말했다. 내일 쉬는 시간에 내가 그 아이들과 함께 화장실에 들어가는 걸 꼭 봐달라는 부탁도 했었다. 나의 이야기를 들었던 선생님의 대처들이 있었지만 그걸로 부족할 경우에는 또 다른 선생님께 말했다. 나는 계속해서 나의 억울함과 부당함을 이야기하는 어린이였다. 당시에 나는 학교 전체의 왕따가 될지언정 다 말해버리겠다 생각했다. 그래서 나는 내가 맞은 일에 대해 만나는 사람마다 말했다. "쟤들이 저 왕따 시켜요." 두려웠다. 하지만 그 두려움 때문에 내 인생을 이렇게 망칠 수는 없었다. 내 인생은 겨우 13년. 고작 초등학교를 다닌 게 전부인데 어른이 되려면 멀었는데, 나를 괴롭힌 저 아이들 때문에 매 순간 두려움에 빠진다는 게 너무 억울했다. 나는 온 세상이 나를 따돌린다 해도 어쩔 수 없을 거란 마음으로 말했다. "쟤가 저 때렸어요."

물론 결과는 참혹했다. 나의 초등학교 졸업식은 어색하고 불편한 관계들이 많았다. 친구들과 함께 찍은 사진이란 없다. 몇년 동안 짝사랑 했던 친구와 어색하게 사진을 한장 찍었을 뿐이다. 그 역시도 그 친구가 나를 좋아했기 때문이 아니라 나에 대한 착한 배려였다는 걸 나중에서야 깨달았다. 조금만 잘못 건드리면 다 이르는 나 때문에 선생님들은 심각성을 느꼈다. 나를 친구들과 격리 조치시켰다. 그래도 운이 좋았다. 성인이 된 후 어린 시절 따돌림을 당했던 사람들의 이야기를 들어보면 오히려 선생님들이 외면해서 더 힘들어졌다는 경우도 있었기 때문이다. 도움의 손길이 필요할 때 그 손길마저 외면을 당했다면 아마 그 절망감은 더 컸을 거다.

그래도 포기하면 안 된다. 내 인생을 절대 다른 사람에게 쥐어 주어서는 안된다. 삶의 모양과 나의 존재를 단정지어서도 안 된다. 나라는 존재는 스스로도 어떤 사람이 되어 있을지 모르기 때문이다. 하물며 학교 안에서 만난 고작 몇몇의 사람들이 나의 존재를 단정짓고 평가한다는 건 말도 안 된다. 누군가 들을 때까지 잘못된 일들에 대해서 말해야 한다. 더 크게 말해야 한다. 그렇게 그날의 격리 조치 이후 아무도 나에게 폭력을 행사하지 않았지만 나는 졸업 때까지 은근한 따돌림을 당하는 아이. '은따'였다. 물론 그렇게 찜찜하게 끝낸 건 어쩔 수 없었지만 나의 실수였다고 생각한다. 그 이후 나는 따돌림 대장과 같은 중학교에 입학했고 중학교 1학년 여름. 그 아이를 복도에서 만났다. 우린 다시 한 번 크게 싸웠다. 진짜 싸웠다. 머리도 잡았다. 교복 안에 입고 있었던 스타킹도

찢어졌다. 그 아이와 싸운 그날. 나는 또다시 나의 존재를 다른 사람들이 규정하기 전에 모든 것을 바로잡아야겠다고 생각했다. 나는 이 모든 일들을 당시 나의 중학교 담임선생님께 말했고 언제나 모든 걸 말하는 내가 질린 그 아이는 더 이상 나를 괴롭히지 않았다. 물론 복도에서 마주칠 때면 나를 언제나 경멸하는 눈빛으로 쳐다보곤 했다. 내가 그렇게 말하고 다녔던 이유는 분명했다. 잘못한 게 없는데 이유 없이 또는 내가 모르는 이유로 나를 괴롭히는 건 도저히 용납할 수가 없었다. 나의 세상은 내 것이다. 감히 너 따위가 망칠 수는 없는 거다. 그래서 나는 다 말했고 그 사건 이후 나는 영원한 재수 없는 컨셉으로 살게 됐다.

나는 반항하는 법을 몰랐다. 선생님께 이른 건 반항이 아니다. 내가 옳다고 생각한 것에 대해 타인에게 더 굳건한 확신을 얻고 싶었던 것뿐이다. 그러다가 어느 누군가 삶에 대해 확신을 주면 반대의 길로 가는 법도 없다. 세상을 책으로만 배우면 살기가 어렵다는 건 살면서 점차 깨달았다. 그래서일까 오히려 세상이 왜이래, 이렇게 문제를 제기하는 작가들의 글이 좋았다. 대리만족이라고 해야 할까. 내 안에 나는 보이는 나와 달랐던 모양이다.

나는 종종 자발적인 고립을 택했고 때로는 이것이 어쩌다 얻게 된 소통의 기회에서 좋지 않은 결말이 되기도 했다. 앞으로는 좀 달라져야겠다고 다짐 같은 걸 해본 적도 있다. 하지만 그 때 뿐이다. 나의 최선은 소통의 방식을 바꾸는 것. 이것으로 정했다.

반항하지 않고 반대의 길로 가지 않는 것처럼 보이지만 나의 방식이 분명히 존재하는 방법. 글쓰기. 이것을 해야겠다고 생각했다. 그리고 나는 나보다 먼저 이것을 평생에 걸쳐 시도하고 실천한 사람들을 사랑한다. 〈행복의 충격〉에서는 평론가 김화영의 시선으로 읽은 다양한 문학작품이 등장한다. 지난날 나의 외로운 순간들을 함께 했던 소설들과 소설을 만든 작가들의 또 다른 사유가 궁금할 때 나는 이 책을 펼친다. 김화영 평론가는 〈행복의 충격〉에서 뿐만 아니라 한국문학과 작가들을 언급할 때도 언제나 그가 사랑한 카뮈의 이야기를 전했는데, 나는 언제나 카뮈가 등장한 것에 대해 고마움을 느꼈다. 나 역시 사랑하는 작가이기 때문이다.

나는 카뮈의 소설을 읽을 때면 쓸쓸함이 밀려와. 잠을 이루지 못하곤 했었다. 그의 글은 언제나 그래도 결말에는 조금의 따뜻함이 남아 있겠지. 안도할 수 있겠지, 했던 일말의 기대를 언제나 저버렸다. 언젠가 한 번은 그의 소설만 읽었지 그에 대해 알지 못했는데 좋은 기회로 그의 생을 알려주는 강의를 들은 적이 있다. 나는 그 이후 카뮈에 대해 더욱 인간적인 마음이 쓰여 그의 소설을 저 멀리 손이 닿지 않는 곳에 두곤 했다.

그리고 얼마 후 김화영 선생님이 번역한 장 지오노의 글을 읽게 됐는데, 다시 카뮈의 글을 읽어야겠다는 생각이 들었다. 그 내용은 다음과 같다.

'하루해는 어둠의 혼란된 시각에서 시작하고 끝난다. 하루해의 모양은 길지 않다. 화살이나, 길이나, 인간의 경주처럼 어떤 목적을 향해 가는 긴 모습이 아니다. 그것은 둥근 모양을 하고 있다. 태양이나 세계가 하느님의 모양처럼, 영원하고 움직이지 않는 것이 가진 둥근 모양을 하고 있다. 문명은 우리들이 무엇인가를 향하여, 어떤 머나먼 목적을 향하여 가고 있다고 설득 시키고자 했다. 그리하여 우리는, 우리의 유일한 목적은 사는 것이며, 삶은 우리가 매일같이 항상 하고 있는 일이며, 하루의 매 시각 우리가 살기만 한다면 우리는 진정한 목적을 다 달성하고 있다는 사실을 잊어버렸다. - (중략) - 그리고 그 하루가 그들이

'하루종일'이라고 부르는 작업 시간에 걸쳐 있으며 그들이 눈꺼풀을 잠그는 시각에 끝나는 것이라 생각하고 있다. 바로 그들이 날들은 길다고 말한다. 아니다. 날들은 둥글다.'

카뮈는 자신의 둥근 날들을 그저 기록했을 뿐이라는 생각이 들었다. 화려함도 허황된 꿈도, 처절하게 느껴지는 비극적인 모습도 억지로 담지 않고 소설 속 둥근 날들을 천천히 완성하고 싶었던 게 아닐까 싶었다. 그의 반항은 그 둥근 삶에 대한 이야기를 늘어놓기만 해도 설득력이 있었다. 세상은 모두 뾰족한 목적을 향해 가고 있는 듯 하지만 그런 건 존재하지 않으니 삶을 있는 그대로 그리는 것이 반항이 된다.

내가 선택한, 내가 옳다고 믿는 세상을 향한 소통 방식이 답답하고 잘못된 방법이라고 여기는 사람들이 있다. 나는 그들에게 오히려 장 지오노의 말을 빌려 묻고 싶다. 어떤 목적을 향해서 가고 있다고 믿는가. 그런데 사실 우리는 바로 모든 것을 향해서 가고 있다. 산다는 것은 그 밖의 어떤 목적도 없다.

내가 따돌림을 당했던 그 순간에 이토록 재수 없는 행

동들을 할 수 있었던 건 용기도 아니고 당돌함도 아니었다. 나는 내 인생을 누구에게도 방해받고 싶지 않았던 나 자신이 내 인생에 똑바로 서 있었던 거다. 단지 나를 내가 지켰을 뿐이다. 우리는 모두 그래야 한다. 그것은 우리 삶이 치열하게 살아가야 할 원동력이 되며 모든 이유이며 더 나은 미래, 희망 따위로 불리는 모든 것들에 대한 출발이 된다.

지금 내가 선택한 삶은 무엇인가. 그래서 나는 어떤 일들을 반복하고 있는가. 그 일상은 그대로 나인가. 그것들만 돌아보고 평생을 반복해도 부족한 것이 삶이다. 아름다운 글을 우리에게 남겼던 카뮈가 결국 결론 맺지 못한 이야기가 있는데 그것은 그가 어떤 삶을 반복했는지 보여주는 지도와 같다. 우리는 모두 조금씩 남기고 갑자기 떠나게 되어 있다.

나의 글쓰기에 대하여

작가님 그 프로그램도 하시는 거에요? 멋져요. 나는 대답했다. 원래 방송작가는 대부분 프리랜서에요. 할 수 있으면 하는 거에요. 제 맘대로 할 수 있는 것도 아니지만요. 그가 다시 말했다. 저도 뭐 공영방송 많이 출연해봤고 돌아가는 거 다 아는데 거기도 말 많죠? 나도 다시 대답했다. 글쎄요, 저는 제 할일만 해서 잘 모르겠어요. 말보다 글이죠.

어쨌든 한 방 잘 먹였겠지? 싶었는데 그는 아랑곳하지 않았다. 내가 다니는 방송국에 피디 작가, 아나운서랑 오래전부터 알고 있었다는 등의 인맥자랑이 끊이지 않았다. 아 그렇구나 그게 자랑거리였구나, 내가 몰랐구나, 싶었고 그와의 대화는 뭔가 찝찝함을 남긴 채 끝났다. 그날의 대화 이후 나는 그를 다시는 섭외하지 않기로 했다.

그건 나름의 복수다. 그가 모르는, 아무도 모르는, 세상이 영원히 모르는 나의 복수. 내 친구는 가끔 나에게 조언한다, '세상이 원래 그런데 왜 다르게 생각해. 그러면 피곤해. 그냥 너도 같이 그렇게 살아. 안그러면 호구 돼, 혼자 복수해서 효과가 있으면 몰라.' 그녀의 말이 틀리지는 않았다, 마지막 한 문장을 제외하고.

혼자 복수를 하면 좋은 효과가 있다. 일단 내 인생에서는 그가 제외된다는 거. 세상의 이상함들은 종종 글쓰기의 원동력이 된다. 그렇게 시작한 글쓰기는 때로는 아주 힘차게, 때로는 멈출 수 없게도 한다. 나에게 글쓰기는 이상함이 조금 덜 이상하도록 노력하는 과정이다. 그 노력은 대부분 화려하지 않고 심지어 보이지 않지만 반복할 때 힘이 생긴다. 나는 이상함을 써내려갈 때 그리고 혼자만의 복수를 시작하며 결국 내 삶에서 무언가를 지워나가는 과정을 통해 언제나 하나의 결론에 다다른다. 나는 나의 일을 하자라는 결론.

누구든 그저 자신의 일을, 자신의 이야기를 했으면 좋

겠다. 이건 나에게 전하는 다짐이기도 하다.

2부

남아있는 장면들
- 손석희 〈장면들〉

　엄마는 아주 가끔씩 나를 뱃속에 품고 있었을 때의 이야기를 한다. 아이를 갖기엔 내가 너무 어린 나이였다는 이야기. 뱃속에 있을 때부터 너는 딸기를 좋아했다는 이야기. 네가 여름에 태어날 것 같아서 덥고 힘들 거라 예상했지만 아픔이 잊힐 만큼 태어난 너를 보니 기뻤다는, 이런 이야기들이다. 그런데 나는 그 장면들이 단 하나도 기억나지 않는다. 한 여름에 태어났다고는 하나 내 삶이 언제부터 시작된 건지 명확하지가 않다. 어느 순간 뿌옇게 세상이 만들어졌다가 또렷해졌고 그래서 내가 태어나 살고 있다는 걸 인지한다. 세상이 뚜렷해진 순간들의 기억은 조각처럼 흩어져있고 어느 순간에는 완벽하게 맞춰지다가 어느 순간 또 다시 파괴된다. 삶의 시작을 또렷하게 기억하는 사람이 있을까. 아마 이 글을 읽고 있는 당신도 삶의 시작과 과정을 이렇게 이야기할 수밖에 없을 것이다.

누구에게나 주어지지만 결코, 단 하나도 같은 것으로 남겨지지 않는 일. 그것은 바로 각자에게 주어진 삶이다. 그래서 삶이란 어떤 것이다, 라고 정의하는 건 불가능한 일이라고 본다. 모두에게 다른 삶. 그 기억의 조각은 모두에게 다른 모양으로 존재하기 때문이다. 삶에 대한 누군가의 명언에 공감했다면 그 순간 그런 삶이 되고 싶은 동경이거나 그와 비슷하게 살았다는 어느 일부분의 공감일 뿐 결코 그 명언과 같은 삶일 수는 없다. 우리는 각자 자신만의 삶에 대한 정의를 내리고 산다. 불편한 건 이렇게 삶은 다양해서 세상은 언제나 불협화음이 생긴다는 것이고, 오랜 세월 인류는 이 불편함을 해소하기 위해 사람간의 간극을 조율했다는 사실이다. 그것은 사회를 유지하기 위한 노력이었다. 그 과정 속에서 누군가는 기꺼이 죽음을 선택하기도 했고, 죽은 후에도 꽤 오랜 시간 목소리를 남겨 두기도 했다.

함께 산다는 건 무엇인가. 진정으로 함께 살기 위해 지금 나는 무엇을 할 수 있는가. 우리 모두에게 살아있음의 시작은 없었다. 살아있음을 마친 후 남겨진 장면들이 있을 뿐이다. 각기 다르게 남겨 놓은 장면들을 우리는 어떻게 조율할 것인가. 〈장면들〉에서 나는 기록한다는 것, 내가 겪은 삶을 담담하게 써야한다는 것에 대해 의무감을 갖게 됐다. 드디어 나의 할 일을 발견한 것이다.

대한민국 최정상에 있었던 한 언론인의 삶에서 펼쳐진 장면들은 예상할 수 있겠지만 다양하고 복잡하다. 장면들 한가운데 서 있었던 그의 삶은 신념과 현실 사이의 간극에서 고민과 성찰의 연속이었다. 나는 기억한다. 매일 밤 8시, 카메라 앞에서 조금은 흐트러짐을 허용하면서도 결코 흐트러짐이 없었던 그의 모습을. 편안하지만 단호했던 그의 표정과 목소리는 오늘을 사는 국민들에게 언제나 내일 조금 달라질 삶을 상상하게 했고, 나 역시 그가 사는 세상을 함께 살며 나만의 삶을 완성하고 있었다. 우리들은 같은 비극을 마주하기도 했고 조금 더 나아질 세상에 대해 희망하기도 했다. 각자의 삶 속에 펼쳐진 장면들은 달랐지만 결국 우리 모두는 오늘날을 살아가고 있었던 거다. 이는 어떤 삶에 대한 명언에 동의하는 부분과는 조금 다른, 보다 깊은 공감대일 것이다.

언제부터 내 생이 시작됐는지 나는 기억할 수 없지만 나의 생을 기억하는 사람들이 있다. 엄마는 그 생의 순간들을 기억하며 내가 유일하고 소중한 존재로 태어났음을 알게 해준다. 우리는 생을 살아가며 저마다의 장면들을 쌓고 살아간다. 하늘 아래 같은 장면들은 단 한 컷도 존재하지 않는다. 우리의 삶은 그 장면들 안에서 독보적이고 유일한 주인공이다. 한 생의 장면들 속에서는 어디에도 조연은 없다. 다만 우리는 서로가 서로의 조연으로 기꺼이 존재하며 남아있어 줄 뿐이다.

나는 언젠가는 〈장면들〉이 역사로 남겨질 거라 생각한다. 미래가 아닌 오늘날 이 글을 읽을 수 있어서 다행이다. 그가 기록한 장면들 속에 조연의 조연, 단역의 단역으로 나 역시 어딘가에 서 있다는 것이 때론 감격스럽다. 이제 살아있는 우리로 우리는 우리의 일을 하자. 모두가 살아있는 역사로 오늘을 살자. 다짐하며 마지막 페이지를 넘긴다.

지속하는 일
- 장강명 〈산자들〉

상암동의 한 스튜디오. 대담 프로그램이었다. 이제 막 대학을 졸업했던 나는 막내 작가. 스튜디오에서 내가 했던 일은 출연자들에게 대본을 나눠주거나 간식을 챙겨주거나 출연 순서를 알려주거나 하는 일이었다. 작가라면 글쓰는 사람이 아닌가 싶었지만 글쓰는 일만 빼고 프로그램에 필요한 모든 일을 했었다. (이쯤되면 제작 환경에서 작가라는 명칭을 좀 바꿔야 하지 않나 싶었다. 그래도 지금은 이전보다 환경이 많이 좋아졌다고 한다.) 지방에서 올라온 나는 서울 생활에 (좀 더 정확히 말하자면 글을 쓰지 않는 생활에) 점점 지쳐갔고 진짜 글을 쓸 수 있는 방법을 다시 한 번 찾아야겠다 생각했다. 그렇게 나의 일상에 적응해갈 무렵, 방송으로 만난 출연자가 자신의 직업에 대한 이야기를 했다. 그는 광고마케팅 분야에서 일을 하는 사람이었고 카피라이터를 구하고 있었다. 함께 방송을 하는 동안 나를 좋게 봤는지 방송일을 그만두고 광고 일을 해볼 생각이 없느냐고 물었다. 하루 정도 진지하게 고민했다. 결국 나는 그 제안에 응하지 않았는데 그 이유는 역시 글쓰는 일과 무관해보였기 때문이다. 카피라이터라 부르긴 하지만 그가 제안한 일은 글쓰기보다 영업쪽에 더 가까웠기 때문이다.

대담 프로그램은 타성에 젖어 있었다. 이전에 했던 방식을 복사 붙여넣기 했고 그렇게 유지만 해도 돈을 벌 수 있으니 더 나은 질문을 하지도, 더 나은 환경을 만들지도 않았다. 크리스마스가 다가오면 스튜디오에 조금 더 반짝이는 조명을 달았던 것 외에는 변함이 없었다. 이대로라면 나는 평생 햇빛이 주는 비타민D도 먹지 못하고 죽겠다 싶었다. 나는 다시 지방으로 내려왔고 지방 방송국에 원서를 냈다. 여기 상황도 다른 의미로 열악하기는 마찬가지다. 서울과 다르게 지방 방송국의 방송작가는 말그대로 일당 백이다. 막내작가라는 개념도 없다. 일단 현장에 들어가면 모든 걸 해야 했다. 물론 글은 조금 더 많이 쓸 수 있었다. 그러나 일이 많아 힘들고 월급이 적어 회의감이 들기 쉽다. 그 모든 열악한 상황을 차치하고 나를 더 힘들게 했던 건 일이 아니었다. 몇몇 피디들과 선배 작가들, 스탭들의 자비없는 태도였다. (물론 그 중에서도 겸손과 실력을 갖추고 내 삶에 좋은 영향력이 돼준 이들도 있었다. 그런 사람들이 세상에 잘 드러나지 않는다는 게 안타까울 뿐이지만.)

지금은 자비없는 그들을 이해한다. 그도 그럴 것이 열악한 방송 환경에서 열심히 일하고 결과를 만들어 내지만 그에 비해 인정은 빨리 돌아오지 않으니 쉽게 지칠 수밖에 없다. 대부분 스스로 자신의 업적을 드러내야만 이 일을 지속할 수 있는 자발적인 힘이 나왔을 거다. 나 역시 서울에서는 일찍이 포기했지만, 지방에서는 조금 더 경력이 있는 작가, 노하우가 쌓인 작가로 인정받고 싶은 욕심이 앞섰던 사람이었으니까 말이다.

찰나의 인정은 중요하지 않다. 하고 싶은 일을 지속할 수 있다는 것이 중요하다. 글을 쓰고 싶다면 언제든 어디서든 이렇게 쓰면 되고 사람들을 만나고 싶다면 내 안에서 꿈틀거리고 있는 마음을 먼저 열고 세상 밖으로 나가면 된다. 다른 사람들의 인정을 바랄 수는 있지만 그것이 나의 일을 지속하는 데 전부가 될 수는 없다는 게 나의 결론이다. 끊임없이 세상을 원망하고 괴로워 할 수 있지만 거기에 그치는 게 아니라 우리 삶에 보다 나은 일은 무엇일까 고민하는 게 오늘을 살아가는 방법이다. 조금 욕심을 부리자면 나는 그것이 나의 글쓰기로 발현되길 매순간 소원하고 있다.

장강명의 연작소설 〈산 자들〉은 읽는 내내 나를 괴롭게 만든 소설이다. 그 괴로움의 출발선을 찾아가는 과정에서 앞서 이야기한 나의 수 많은 과거의 장면들을 보았다. 소설을 읽는 동안 무의미하다고 느꼈던 경험들이 오늘날 내 삶을 이끄는 원동력이 됐다는 걸 알았다. 어쩌면 〈산 자들〉에 등장한 산 자들의 이야기는 단순히 세상에서 빈번하게 일어나는 부조리함을 탓하려는 것이 아닌, 나 자신 또한 그 부조리함에 익숙한 사람임을 자각하게 하려는 이야기가 아니었을까. 단순히 누군가의 권리를 옹호하려는 이야기가 아닌, 한 사람이 오롯이 한 사람의 존재로 인정받고 있는 세상인가를 질문했던 이야기가 아니었을까.

나는 서울에서 일하는, 유명한 프로그램을 제작해 본 방송작가라는 명성을 꿈꾸지도 못하고 포기한 작가이기도 하지만 여전히 나를 위한, 세상을 위한 글을 쓰고 싶은 작가라면 쓸모있는 사람이라고 믿고 있다. 누군가가 인정하지 않아도, 세상이 알아주지 않아도 말이다. 거기에 조금씩 나의 욕심을 더해 내가 좋아하는 일을 여전히 할 수 있고, 하고 있다면 말이다. 이 글을 읽은 당신에게도 〈산 자들〉이 건네는 위로와 공감이 전해지길 바란다.

그녀의 월든

- 박혜윤 〈도시인의 월든〉

"우리 동을 깨끗하게 해주실 분을 구합니다. 법정 시급 드립니다."내가 살고 있는 아파트 엘리베이터에 붙은 공고문이다. 요즘 세상에 정말 근본없는 채용공고가 아닌가. 30년 된 우리 아파트는 아파트의 세월만큼 사는 사람들의 연령대도 높아 '사람인'이나 '잡코리아'가 오히려 낯선 분들이 많다. 이런 상황에 나는 종종 이런 형태로 된 공고를 만난다. 우리 아파트 엘리베이터는 각종 정보의 게시판이다. 신기하게도 효과가 좋다. 한 이틀 뒤 공고문이 보이지 않았다. 아침 생방을 나서는 길, 처음 보는 아주머니가 우리집 앞 복도를 청소하고 계셨다. "수고가 많으십니다."나의 인사에 아주머니는 미소로 답했다.

나는 그날도 채용공고가 붙었던 엘리베이터를 타고

주차장으로 향했다. 매일 아침 같은 풍경. 경비아저씨는 지난밤 모인 플라스틱을 정리하고 계셨고 같은 시간 강아지와 함께 어디론가 향하는 노란색 모자를 쓴 아주머니도 만났다. 모두가 바쁘고, 때론 여유롭게 자신만의 루틴을 완성하고 있었다. 방송을 끝내고 집으로 돌아오는 길에 아파트 복도를 다 청소하고 1층으로 내려온 아주머니를 만났다. '방송을 끝내고 집으로 돌아오는'이 짧은 시간 안에 빠르고 깨끗하게… 정말 대단하다 싶었다. 일을 시작한 지 얼마 안된 걸로 알고 있는데 이분 정말 청소의 달인인가?

어느날 아파트 입구에서 그녀와 마주쳤다. 나는 엘리베이터를 기다리는 동안 어색한 공기를 끊으려 말을 걸었다. '아주머니 혹시 엘리베이터 채용 공고 보고 지원하신 거에요? 그럼 우리 아파트에 사시는 거에요?' 아주머니는 지인의 소개로 우리 동 청소 일을 하게 됐다고 했다. 지인은 우리 동에 사는 사람이었고 청소는 원래 좋아하는 일이라 다른 곳에서도 계속 비슷한 일을 했었다고 말했다. 어색한 대화가 어색하게 마무리될 쯤 엘리베이터 문이 열렸다. 나는 집으로 돌아가 노트북을 펼쳤고 내일 방송 원고를 쓰며 그녀는 지금도 청소를 하고 있겠지 생각했다.

　며칠 전부터 나는 이상하게도 그녀가 신경쓰였다. 정확히 말하면 그녀의 말이 신경쓰였던 것 같다. 청소일을 좋아해서 청소를 한다는 그녀였는데, 분명 그렇게 말했는데 그녀의 표정은 아니었기 때문이다. 나에게 불편한 말을 한 것도 아니고, 그녀가 해야 할 일을 하지 않는 것도 아닌데도 말이다. 왠지 그녀가 이 일을 좋아하지 않는 것처럼 느껴졌다. 그런데 좋아한다고 말했으니 무엇을 진짜라고 생각하면 좋을지 헷갈렸다. 나는 지금 그녀의 태도에 대해 문제 삼는 것이 아니다. 그녀의 말이나 행동이 아닌, 그녀의 마음에 대해 들여다보고 싶다. 그녀가 정말 좋아하는 일을 했으면 좋겠다, 하는 마음이 들어서다.

　내가 사는 아파트처럼 나는 매일 구닥다리 글쓰기를 하고 있다. 그것도 반복한다. 언젠가 내 일에 대해 생각했을때 불안하고 슬픈 감정이 휘몰아쳤다. 현실을 마주할수록 어린 시절에 상상했던 영광은 정말 어디에도 없는 것 같아서 스스로에게 보람과 쓸모를 찾으려 애를 쓴다. 나는 글쓰기를 좋아하니까 하는 거야, 라고 말이다. 그런데 어떤 날은 그렇다. 매일 반복하다보면 '이것밖에 할 수 없어서'가 더 맞는 말인 것 같다. 내가 그녀를 신경 썼던 이유는 그녀의 마음이 혹시 나와 같지 않을까 해서였다. 내가 그녀에게 갖는 고마움, 내가 그녀를 멋지다고 생각하는 이 마음이 그녀에게 닿기는 어려울테니 그녀도 종종 나와 같이 애를 쓰지 않을까 해서.

그녀를 마음 속으로 응원하다가 나에게도 나와 같은 그런 존재가 있지 않을까 생각했다. 직업이라는 것에서 특히 방송글쓰기를 통해서 보람을 느끼기는 참 쉽지 않지만 그래도 먹고 사는 것에 감사하며 평범한 하루를 내가 좋아하는 소설과 영화로 채울 수 있는 오늘이 감사할 때가 더 많다. 내가 사랑하는 일들은 나의 부족함이 원동력이다. 나의 꾸준하고 간절한 좋은 글쓰기를 향한 태도는 나와 내 글이 점점 아름다워지는 과정이다. 나는 글을 대하는 모든 과정 속에서 근본적인 위로를 얻는다. 언행일치 못해도 괜찮다. 어차피 어제보다 더 오늘 조금씩 아름다워지는 중이라면 죽기 전에는 가장 아름다운 모습일 테니까.

30년 된 우리 아파트, 그 세월보다 더 긴 세월을 지나온 누군가가 생각난다. 자신이 얼마나 대단한 사람인지

모르고 살아가는 유일무이한 그에게 보이지 않는 위로와
격려, 칭찬을 건네고 싶다면 나는 당신이 이 책을 선물하
기를 바란다. 우리는 모두 부족하지만 완벽한 월든이다.

커피의 의미

- 서필훈 〈커피를 좋아하면 생기는 일〉

아침에 일어나면 무조건 커피다. 공복에 커피가 가장 맛있다. 어느날 아침은 공복 커피를 마시며 커피를 공복에 마시면 건강에 해롭다는 기사를 보면서 또 한 모금 마시는 게 커피다. 커피가 없던 조선시대가 아닌 커피가 있는 오늘날 대한민국에 태어난 게 얼마나 다행인지 모른다. 누구든 그렇지만 무엇인가를 좋아하면 그 발자취를 따라가게 되는 법. 그렇게 홀린듯 커피에 관한 글을 찾아 읽는다.

커피에 관심을 갖게 되면서 나는 SNS계정을 통해 전국에 유명한 카페들과 어느 대회에서 입상한 바리스타, 로스터 등을 팔로우했고 그들의 소식을 간접적으로 접했다. SNS속에 있는 바리스타의 모습은 화려하고 모두 유쾌해 보이며 나만큼 커피를 사랑하는 것 같았다. 뿐만 아니라 커피는 문화 예술과 아주 밀접한 관련이 있어서 바리스타란 커피를 만드는 역할에 더해 문화를 만들어가고 있는 사람들이라는 걸 알게 됐다. 오늘 날 유행하는 패션을 앞서는 건 물론이고 젊은 날의 패기 같은 것도 보인다. 내가 카페에 가서 커피를 마시는 이유는 커피가 아니라 그들의 환대와 감각, 젊음, 또 다른 삶의 온기를 느끼기 위한 목적도 있다. 사실 나는 그것이 아니고서야 굳이 카페에 갈 필요성을 느끼지 못한다. 왜냐, 커피는 내가 내려 마시는 게 가장 맛있기 때문이지.

커피를 마신다는 건 좋은 글을 읽는 것과 닮아 있다. 좋은 글은 때로 누군가의 삶에 굵게 남아 있어서 그 인생의 전환점이 되기도 한다. 커피는 하루의 전환점이 된다. 풀리지 않는 문제로 고민하고 있을 때 잠시 쉬어가며 마시는 커피, 누군가와의 대화가 필요할 때 어색한 손짓을 커피가 담겨 있는 잔에 올려 놓고 시간이 흘러가기를 기다려도 괜찮다. 그게 커피를 마시는 시간이다. 나의 삶과 당신과의 관계에 커피는 언제나 그렇게 존재한다.

읽기를 천천히 할 땐 발걸음도 따라서 조금씩 느려진

다. 한 문장이 던진 질문에 대한 답을 찾지 못했을 땐 괜히 주변의 풍경을 바라보기도 한다. 나 자신과의 어색한 기운이 맴돌면 그제서야 다시 책으로 돌아가 읽기를 반복한다. 커피를 마실 때도 천천히 마셔야 하는 경우가 있다. 아주 작게 머금은 한 모금이 주는 질문이 있다. 단 한 글자로 표현할 수 없는 그 맛은 여전히 그 향기를 가지고 주변을 돌아보게 한다. 커피와 내가 조금 서먹해질 무렵 다시 잔을 들고 향기를 맡는다. 바로 그 순간이 커피와 조금 더 가까워지는 순간이다. 나를 멈추게도 하고 돌아서게도 하는 커피, 그리고 읽기는 묘하게 닮아 있어 나는 어쩔 수 없는 이끌림에 그들을 사랑한다. 여기에서 한쪽으로 치우친 사랑은 있을 수 없다. 읽기와 커피. 커피와 읽기라면 모든 것을 잠시 멈추고 처음부터 다시 시작할 수도 있다. 그것이 당신과의 사랑이든, 세상에 대한 증오든, 이해할 수 없는 영역에 대하여 이해를 위해 뛰어든 도전이든 말이다.

시인 이상은 커피를 사랑했다. 더 정확히 말하자면 그는 종종 커피로 도피를 했었다.[2] 현실과 이상과의 조우가

---

2 이상 〈권태〉 [민음사] 35p, 커피- 좋다. 그러나 경성역 홀에 한 걸음 들여놓았을 때 나는 내 주머니에는 돈이 한 푼도 없는 것을, 그것을 깜빡 잊었던 것을 깨달았다. 또 아뜩하였다. 나는 어디선가 그저 맥없이 머뭇머뭇하면서 어쩔 줄을 모를 뿐이었다. 얼빠진 사람처럼 그저 이리 갔다 저리 갔다 하면서……

어려웠을 때 그의 방황을 붙잡아 줬던 건 커피였다. 커피는 잠시 멈추게 하기도, 다시 생각을 이어나가게도 한다. 하루의 어느 지점에서 육체와 정신을 잠시 끌어 당겨주는 역할을 해주는게 커피라면 읽기는 인생의 어느 지점에서 우리를 끌어당긴다.

누구나 글을 쓸 수 있는 것처럼 누구나 커피를 즐길 수 있다. (심지어 커피는 마시지 않아도 즐기는 방법이 있다. 물론 마실 수만 있다면 더 폭 넓게, 깊게 커피를 이해한다는 것을 확신한다.) 나는 언제나 커피를 진지하게 대하지만 커피가 별거야? 하는 사람이고 싶다. 나아가 그런 사람을 만날 수만 있다면 참 좋겠다. 나는 언제나 커피를 그저 커피라고 말해주는 사람들과 친해지고 싶다. 그래서 나는 종종 내 영혼의 커피 친구를 찾는다. 언젠가 그런 친구를 만난다면 커피와 읽기를 함게하고 싶다.

사실 커피는 (나 같은 경우엔) 아침에 뜬 해와 방 안의 공기, 그 날의 만나는 사람들, 오늘 나의 컨디션에 따라 맛이 다르게 느껴진다. 어느 나라에서 온 스페셜티 커피라 해도 오늘 나의 커피 맛을 좌우하는 건 내 기분일 뿐, 그 날 뭔가 좋지 않으면 좋은 커피도 그저그런 커피가 되고 만다. 그 반대의 경우도 마찬가지다. 나는 최고의 만남을 최고의 커피로 기억하기도 한다. 그게 커피다. 정답이 없는 채로 영원히 남는 존재. 그런 모습과 향과 움직임이 때론 문학과 같아서 좋다. 커피에게도 이유가 있다.

커피는 한 순간에 한 사람만의 한 번의 것으로 만들어진 것이 아니기 때문이다. 단 한잔이 나오기까지 (적어도 그 의미를 아는 사람이 만들었다면 더더욱) 커피는 수많은 이들의 고난의 길을 통과한 열매의 결과다. 그렇다면 커피를 어떻게 만나야 하는가. 잘 떠 놓고 제사라도 지내야 하는가. 언제나 나의 결론은 즐기자는 거다. 즐기는 척을 할 필요도 없다. 있는 그대로 자연스럽게 웃으면서 마시자는 거다. 오늘날 한 잔의 커피가 얼마나 소중한가. 커피를 마시는 그 순간마저도 우리는 심각해질 필요가 있을까. 평가하고 경쟁하고 질투하고 시기하며 돈으로만 가치를 환산할 필요가 있을까. 그것을 제외한 세상에서 놀 수 있는 게 이토록 많은데 말이다. 이건 내 경험상 사실로 결정한 결론인데 커피를 좋아하면, 다시 말해 커피를 진짜 좋아하는 사람은 그렇게 즐기려 애쓰지 않아도 자연스럽게 언제나 멋있다.

커피를 진심으로 즐기는 사람이 쓴 글은 재밌다. 유쾌하지만 오래도록 기억에 남는다. 〈커피를 좋아하면 생기는 일〉은 나에게 그런 글이었다. 커피에 대한 이야기는 쉽게 잊혀지지 않는다. 커피를 통해 만난 사람과는 헤어질 수 없는 인연이 되기도 한다. 커피가 옷에 흔적이라도 남긴다면 지우기가 꽤 힘들어지는 경우와 비슷한 것 같다. 커피 때문에 정말 괴로울 것이다. 인생이 복잡할 것이다. 되는 일도 커피 때문에, 되지 않는 일도 커피 때문이라는 말도 하게 될 것이다. 누군가의 삶은 커피로 인해 이토록 단순하지만 복잡해진다. 그러나 우리는 커피를 끊을 수 없다. 커피가 없는 세상이란 있을 수 없다. 커피 안에 위로가 있고 사랑이 있고 비로소 가능한 희망이 있다. 여기에 커피의 의미가 있다.

화가 나는 일
- 신형철 〈인생의 역사〉

글쓰는 일로 돈을 벌기로 했다. 일단 그렇게 마음을 먹고 난 뒤 나름대로 시장조사를 했었다. 결과적으로 내 주변에서는 극적인 성공사례가 없었다. 그럼에도 불구하고 대학을 졸업한 후에 무엇이든 '글 쓰는 일'로 돈을 벌었으면 좋겠다고 생각했다. 출발은 시와 소설이었다. 책을 읽는 일에 굳이 인간관계가 필요한가 싶어 독서모임 하나 없었던 나는, 고등학교 때까지 독서동아리에도 가입해본 적이 없다. 각종 독서 대회나 글쓰기 대회도 열심히 나가지 않았다. 독서라는 영역까지 다른 사람이 정해주는 게 싫었다. 소설과 시 만큼은 내 기준대로 읽고 싶었다. 청소년이 꼭 읽어야 할 필독서는 누구의 기준으로 만들어졌으며, 누구의 강요인가. 매 학기 학교 게시판에 붙은 '독서리스트'에 소심한 반감을 갖고 있었다. 그래서 나는 당시 염상섭의 삼대도, 윤흥길의 장마도 읽지 않았다. (그러나 추후에 알았지. 엄청난 작품들이었다는 걸, 하지만 그 때 읽지 않았던 걸 후회하지는 않는다.) 사서 선생님의 추천으로 도스토예프스키 소설이 도서관 입구에 세워져 있으면 나는 보란 듯 니체의 〈차라투스트라는 이렇게 말했다〉를 빌려 읽었다.

작가가 되기에 어린시절 학교가 정한 기준에는 조금 미흡했지만 나의 꿈은 언제나 작가였다. 그 꿈 하나로 시인과 소설가, 그리고 평론가가 있는 대학에 입학했다. 대학 생활은 즐거웠다. 책으로 만난 그들의 제자가 된다는 건 놀라운 일이었다. 중고등학교 시절보다 더 깊게, 더 많이, 더 행복하게 공부했었던 것 같다. 학부 2학년 1학기, 본격적인 전공수업을 들을 수 있었다. 나는 곧바로 이성복선생님의 수업을 신청했다. 수강신청이 꽤 어렵지 않아서 의외라고 생각했다. 나는 선생님이 잘 보이는 가운데 자리를 잡고 앉았다. 작지만 큰 선생님이 등장했고 강대상 위가 아닌 학생들의 자리 가까이에서. 시가 아닌, 인생에 대한 질문을 늘어 놓으셨던 선생님의 모습이 또렷하게 기억난다. 수업이 끝날 때 즈음엔 알 수 있었다. 선생님의 질문을 잘 꾀면 시가 된다는 사실을.

당시 선생님은 고민이 있었다. 그 고민을 이제 막 스무살이 된 우리에게 털어놓으셨다. 선생님의 고민은 대체 뭘 말씀하시는 걸까, 수업 때마다 의문이 가득한 채 교실을 나왔고 얼마후 그리고 그 수업은 선생님의 마지막 수업이라는 걸 알게 됐다. 선생님은 당시 조금 이르지만 내려놓아야 할 때를 생각하고 계셨던 거다. 어쨌거나 나는 운 좋게도 이성복 선생님의 마지막 수업을 듣는 제자가 됐다. 선생님은 나를 기억하지 못하시겠지만 선생님의 내려놓음을 직접 목격한 이후 복잡한 인생을 살고 있다. 내 이상과 현실은 언제나 시와 맞닿아 있어서 종종 모호한 언어로 배출되고 있다는걸 알아차리게 됐기 때문이다. 나는 그럴 때마다 희미하게 때론 뚜렷하게 선생님을 생각한다.

'여기까지구나,라는 생각이 드는 건 더이상 화가 나지 않아 마음이 잠잠할 때'. 선생님이 교단에서 말씀하셨던 문장이다. 화는 열정이다. 안될 것 같은 것도 해보려는 열정, 불가능해 보이는 것도 가능으로 바꿀 수 있다는 가능성. 그 열정과 가능성이 세상에 닿을 때면 반드시 마찰이 생긴다. 마찰은 때로 불로 커지기도 하는데 세상에서 발화되면 세상은 조금씩 변하고, 내 안에서 발화되면 내가 변하는 거다. 선생님께서 화가 나지 않는 상태가 되었다고 고백했던 건, 당신이 글에 대한 열정을 잃어버렸다는 것이 아니라 내면에 가지고 있었던 연료를 많이 썼다는 의미로 들렸다. 강단에서의 세월, 시인으로서의 삶은 세상과 내면에 수많은 충돌을 일으키는 일이었을 것이다. 수많은 마찰과 반복된 화 때문에 상처가 이제 더이상 아물지 않는다는 의미가 아니었을까. 선생님은 그 '화'에 대한 이야기를 날숨과 함께, 아주 작은 목소리로 말씀하셨다.

읽기에서까지 줄을 세우는 경제의 원리와 세상의 흐름에 나는 여전히 반감을 갖는다. 많은 사람들이 하루키를 읽을 때 그를 열렬히 좋아하는 마음을 감추고 황정은을 읽거나 편혜영을 찾는다. 그러다 깨닫는다. 무엇에도 지배받고 싶지 않은 나의 마음에 지배받고 있는 나를. 그러나 나는 괴롭지 않다. 나의 속사람은 여전히 시와 소설을 향해 울렁거리고 있음을 알기 때문이다. 내 안에는 아직 '화'가 많이 남아있다.

〈인생의 역사〉를 읽는 동안 나는 나를 마주했다. 내가 살아가는 방법이 틀리지 않았음을 확신했다. 글쓰기로 밥먹기가 가능한 작가, 라는 말은 세상을 향한 방관자가 되겠다는 것이 아니라 언제나 최전방에서 싸우겠다는 의지였다는 걸 확인했다. 하고 싶은 말이 너무 많다. 지면이 부족해 언제나 아쉽다. 계속 써도 되나? 싶을 때 생각한다. 그 때 선생님이 알려주셨지. 내 마음에 아직도 불같은 화가 남아있는지 들여다보라고. 그렇다면 계속 써도 되는 삶이라고. 그런 의미에서 여러분께 전한다. 계속 쓰는 나를 지켜봐달라.

3부

쓰는 이유, 여행의 이유

- 김영하 〈여행의 이유〉

나이가 든다는 것은 수단이 목적보다 중요해진다는 걸 알아가는 과정이 아닐까. 나의 경우는 그렇다. 점점 나이가 들 수록 목적 보다는 수단, 과정에 몰두하게 된다. 목적을 위한 오늘의 여정도 결국엔 다시 오지 않을 삶이라는 걸 직감한다. 목적과 수단의 경중은 사람마다 다르다. 나이가 들수록 허무함이 커지는 사람과 삶의 무게가 버거워 버티기에 급급한 사람. 세상의 이슈를 자신의 이슈로 끌고와 점점 더 복잡하게 살아가는 사람과 세상을 떠나 자연과 나를 독대하는 사람. 어떤 삶이 옳으냐, 하는 문제를 개인이 논할 수는 없다. 우리 삶의 다양한 모습은 그 자체로 세상을 이룬다. 우리의 존재는 세상이 있을 때 가능하다. 때로는 다른 삶을 살아보지 못하는 나의 유한함에 대해 답답함을 느낀다. 가끔은 저 멀리 하늘을 날아

볼 수 있다면 어떨까. 아침에 일어나 일본에 가서 라면을 먹고 다시 집으로 돌아오는 그 일이 내 삶에 실현된다면 얼마나 좋을까. 모든 생을 살 수는 없지만 나와 다른 생에 대해 언제나 진솔하게 마주할 수 있는 넓은 마음과 생각이 공짜로 주어진다면 얼마나 좋을까를 생각한다. 언젠가 이런 생각이 나를 잠못이루게 할 때, 다음날 여행을 떠나기로 마음먹는다. 나의 여행의 시작은 늘 그랬다.

코로나가 있기 전, 한 달간 유럽을 여행했다. 몇 년도 더 된 일인데 아직도 그 때의 여행 이야기가 생각날까 싶을 때도 있지만 그 때의 여행은 내 삶을 지탱하고 있는 버팀목이 되었으니 때때로 언급할 수밖에 없다. 그 여행으로 나는 세상을 바라보는 시선이, 나아가 내 인생의 꿈의 방향이 바뀌는 경험을 했다. 누군가에게는 여행이 일상을 벗어나는 출구가 되기도 하는데 나에게 여행은 언제나 현실을 더욱 견고하게 하는 디딤돌이었다. 돌아올 곳을 알게 하고 또 다시 떠나야 할 곳을 알아차리게 하는 여행. 어쩌면 나의 일상은 이 찰나의 찬란한 여행을 위해 존재하는 게 아닐까 싶기도 하다.

여행을 통해 언제나 특별한 무언가를 발견하는 것은

아니다. 아니, 오히려 특별하지 않은 다양한 일상을 경험하고 그 일상의 소중함을 깨닫는다. 6개국을 여행하는 동안 나는 6번의 다른 삶을 목격했고 6명 이상의 일상을 경험했으며 삶은 단순히 6가지로 규정할 수 없음을 알아차렸다. 6번 이상의 충격과 6번을 넘은 삶의 다양성과 그 이상으로 펼쳐질 수 있는 삶의 가능성을 느낄 수 있었다. 전 세계의 수많은 일상은 모두 각자에게 주어진 역할대로 움직이고 있으며 우리는 서로의 반복된 일상에 기댄 채 살아가고 있다. 단지 아주 미세하게 움직이고 있어서. 또 언제나 반복하고 있어서 알아차리지 못할 뿐. 그렇게 우리 삶은 일상이란 위대한 단어로 단단해진다.

김영하 작가의 산문 〈여행의 이유〉는 현대인들에게 여행! 하면 떠오르는 글이 되었을지 모른다. 유명한 작가의 글이어서? 여행이라는 키워드 뒤에 숨겨진 역사와 문화, 그리고 작가의 개인의 감상이 남아 있어서? 물론 이런 이유도 작가의 명성만큼이나 타당하지만 이 글이 사랑받는 이유는 앞서 내가 느낀 대로 결국 작가가 일상으로 돌아온 후, 그 일상에서 여행의 이야기들을 완성했기 때문이라 생각한다. 우리는 왜 일상을 벗어나려고만 하는 것일까. 벗어난다 해도 또 다른 일상이 우리를 기다릴 거라는 걸 알면서 말이다. 일상이 괴롭기만 하다는 누군가에게, 혹시 어딘가 완벽한 출구가 있을 거라는 착각 속에 머물고 있는 누군가에게 작가는 책속에서 말한다. '어딘가로 떠나라는 말과 함께 오직 현재를 살아가라'고 말이다.

인생을 흔히 여행에 비유하기도 한다. 여행이라는 목적으로 발걸음을 내딛었을 때 떠난다는 것과 함께 돌아오는 모든 과정, 즉, 수단을 생각한다. 철저히 동선을 짜고 계획을 한다 해도 어떤 위험이 곳곳에 있을지 모르는 것도 알고 있다. 그럼에도 불구하고 떠나는 거다. 일단 멀리 나와 있으면 되돌아가는 여정도 여행의 일부분이 된다. 어떤 에피소드가 생길지 모른다. 새로운 여정을 경험하면 반복되는 일상에서 담대함이 생긴다. 세상이 큰 만큼 마음의 크기도 커진다. 과정과 수단, 현재라 불리는 모든 것들에게서 의미를 발견하게 된다. 여행을 떠나지 않을 이유는 없다. 쓰고 싶은 이야기는 그 과정을 만났을 때 비로소 가능하기 때문이다. 나이가 들 수록 여행이 중요해지는 이유는 여기에 있다.

경주의 위로
- 황윤 〈일상이 고고학- 나혼자 경주여행〉

일생을 무계획으로 살고 싶지만 성향은 계획적이라
여행만큼이라도 나다운 모습을 버려두자, 해서 계획하지
않은 여행을 선호했다. 그렇게 자주 계획하지 않고 떠난
곳이 경주. 경주는 하늘이 보여서 좋은 도시다. 어디든 가
만히 앉아 있으면 도심 속이 아닌 하늘 속에 머무는 느낌
이고 조금만 걸으면 맛있는 커피가 곳곳에 있으니 나는
종종 경주에 간다. 경주는 고동이와 뛰어 놀 수 있는 장
소도 많다. 고동이 줄을 짧게 잡지 않아도 어느 동네에서
는 사람들이 자연스럽게 허용한다. 고동이도 하늘을 걷
는 것처럼 가볍게 걷는다. 경주에서는 그렇다. 하늘을 걷
기 위해 경주로 떠날 때면 비로소 내 삶의 주인공이었던
나를 발견한다. 우리는 꽤 자주 다른 이들에게 필요한 사
람으로 살아간다. 나는 여행을 통해 그 필요가 된 나를

잠시 버려둔다. 필요란 언제나 충분조건이 따라붙어 피곤하다. 피곤을 달래기 위해 떠났던 여행이 나를 발견하는 일이라니. 경주는 언제나 고마운 곳이다. 나와 같은 생각을 했던 누군가 글을 남겼다. 홀로 경주를 여행했던, 나와같은 누군가였다.

황윤의 〈일상이 고고학 - 나혼자 경주여행〉은 제목 그대로 홀로 떠난 경주의 모습을 담았다. 도시 자체의 역사적인 의미를 찾기 위한 목적도 있지만 경주의 숨은 숨결을 따라간 작가의 개인적 감상도 인상적이다. 개인적으론 역사적인 장소와 유물의 모습은 변함이 없지만 그 모습을 대하는 변화무쌍한 자신의 모습을 대면하는 순간들을 솔직하게 서술한 장면에서는 고개를 끄덕이며 공감하기도 했었다. 변하는 나, 그리고 변하지 않는 세계. 또는 변하는 세계 속에서 언제나 변함을 두려워하는 나. 이 충돌의 순간에 예술이 살아 숨쉰다. 오늘날 첨성대 주변에는 넓은 산책길과 카페들이 줄지어 있다. 사람들은 첨성대를 배경삼아 산책을 즐기고 커피를 마신다. 변하지 않는 첨성대의 모습에 잠시 기대어 변하고 있는 오늘을 살아가는 내 모습을 마주한다. 경주에서의 밤은 깊어지지만 나는 아직 떠나지 못했음을 발견한다.

여행은 일상을 떠나기 위한 목적으로 시작하는 경우가 많다. 내가 아는 지인은 주말에 떠난 여행지에서 회사 이야기를 하면 벌금을 내기로 했다며 회사 이야기를 공개적으로 금지시키기도 한다. 재미로 하는 이야기지만 웃음 뒤에 있는 일상의 피곤함이 고스란히 전달된다. 우리들의 일상이 피곤함으로 정의되는 이유 중 하나는 '나'를 잃어버리기 때문이다. 어빙 고프먼은 일상이라는 무대에서 우리는 어떻게 연기할 것인가[3]를 생각하는 존재라고 말한다. 타인의 관계에서는 늘 처신을 고민하고 사회가 요구하는 자세와 장소에 따른 상호작용에 능숙한 사람들은 일상생활을 '연출'하며 살아간다. 공식적으로나 비공식적인 위치에서 '연기하는 나'에 익숙한 개인은 그 연기를 탈피하고 싶으면서도 그 모습을 자신의 모습이라 인정하며 살아간다. 나 역시 마찬가지다. 솔직함이 나의 가장 큰 장점이자 단점이라 말하면서도 솔직함에 대한 정의조차 제대로 내리지 못한 채 나의 모습을 스스로 속이며 살아갈 때가 있다. 그러나 경주는, 경주의 하늘은 나의 모든 모습을 위로한다. 마치 오래된 역사 속에서, 끝없는 하늘 속에서 나의 모습과 세월은 찰나일 뿐임을 알려준다. 그 가르침은 저절로 겸손함과 겸허함을 일깨워준다.

---

3 어빙 고프먼〈자아연출의 사회학〉진수미옮김, 현암사

우리의 냄새

- 김수정 〈나는 런던에서 사람 책을 읽는다〉

나는 꼭 한 번 런던에 가 보고 싶어. 우리의 연애시절 지금의 남편이 나에게 자주 했던 말이다. 사대주의가 있는 사람도 아닌데 남편은 확고했다. 뉴욕도 아니고 파리도 아니고 런던이었다. 이유는 대략 이렇다. 남편은 가끔 이상한 물건에 꽂혀 마치 첫눈에 반한 것처럼 그 물건을 세심하게 관찰하는데, 보통 그런 물건들은 적어도 100년 이상 대를 잇는 장인들의 물건이다. 런던에는 그런 장인들이 살고 있었다. 그들이 만든 주방용품과 다양한 소품이 런던의 작은 상가에 있었고, 어느 다큐멘터리에서 봤던 셰프는 런던에서 식당을 하고 있었다. 쇼디치에 있는 리바이스 매장에는 세상 가장 힙한 아르바이트생이 있는데, 어느 잡지에서 그의 인터뷰를 봤다는 거다. 그렇게 남편이 런던에 가야 할 이유는 쌓이고 있었다. 사람들을 만나기 위함이었다.

2018년 겨울. 우리는 그렇게 첫 해외여행이자, 신혼여행지로 런던을 택했다. 히드로 공항에 도착 후 시내로 가는 히드로 익스프레스를 타기 위해 발걸음을 옮기는 동안 우리는 아직 런던 시내에 다다르지 않았음에도 모든 것이 좋았다. 런던에 도착하자마자 런던의 냄새, 런던의 사람들이 있었기 때문이다. 우리가 드디어 런던에 온 것이다.

사실 나는 이전에도 동생과 함께 관광을 목적으로 런던에 와 본 적이 있지만, 이토록 사람을 보기 위해 런던에 올 거라고는 생각해보지 않았다. 코로나로 잠시 주춤하긴 했었지만 요즘은 워낙 해외여행이 자유롭고 유학을 다녀온 사람들도 많아 런던이 뭐 특별할 거 있나 싶을 수도 있겠다. 그러나 말했지만 그때 나는 신혼여행 중이었기에 모든 것이 특별하고 좋았다. 부부는 동상이몽이라고 했지, 남편이 된 나의 남자친구는 런던에서의 일정 내내 나와 결혼했다는 사실보다 지금 런던에 와 있다는 사실을 더 즐기는 것 같았다. 사실 눈치채고 있었지만 나는 아무 말도 하지 않았는데, 내가 그럴 수 있었던 건 그런 그의 모습도 좋았기 때문이다.

남편의 계획대로 우리는 장인들을 만났다. 만나고 싶었던 셰프의 음식을 먹었고, 오래된 물건을 샀고, 리바이스 청바지도 다양하게 골라가며 입고 샀다. 이 모든 것을 하느라 돈을 너무 많이 써서 정작 한국에 돌아와서는 냉장고, 세탁기 밖에 없는 신혼집을 조금 더 즐기게 됐다. 하지만 나는 런던에서의 그 모든 순간을 잊을 수 없다. 다시 돌아올 수 없는 시간과 공간, 그리고 그 냄새와 당신의 표정. 우리는 함께 그것을 기억하게 됐다.

나는 이 모든 것이 런던이라는 아름다운 도시가 한 몫했기 때문이라고 생각하기도 하지만 무엇보다 그가 바랐던 대로 런던의 사람들을 만났기 때문이라 생각한다. 현재의 어려움과 괴로운 일, 풀리지 않는 고민과 미래에 대한 걱정. 관계에 대한 두려움과 볼품없는 나를 마주하는 용기를 갖는 일. 이와 같은 인생의 수많은 난관이 찾아올 때, 우리는 런던 사람들의 표정과 그 냄새를 기억한다. 그리고 나는 당신을 기억한다. 우리의 기억이 잠시 머물렀다 간 그곳도 여전히 복잡하고 풀리지 않는 인생의 숙제들로 얽혀있을 거라는 막연한 확신으로 위로를 얻는다.

뒤죽박죽 다양한 사람들의 냄새가 섞여 있지만 그곳은 여전히 아름다운 사람들의 도시로 남아있을테니 말이다.

우리는 지금 이곳에서 어떤 냄새로 존재하는가. 사람을 만나러 간 런던을 기억하며, 그리고 그들의 냄새를 떠올리며 가끔 나는 생각에 잠긴다. 내가 동경하고 있는 것들에 대하여, 내가 사랑한다고 말하는 것들에 대하여. 복잡해지던 생각이 단순해진다. 여전히 나는 당신의 나로 존재해야겠구나 싶고, 당신은 나의 당신으로 남아있어주길 바라는 마음만이 남는다. 우리의 냄새는 바로 그때 가장 향기롭기 때문이다. 지금 이 글, 혹시 흔하디 흔한 사랑, 어쩌고냐고? 그렇게 생각한다해도 어쩔 수 없다. 런던은 우리에게 그 처음의 마음을 전해준 곳이기 때문이다. 그곳을 기억하면 나는 당신을 사랑하는 마음만이 온전히 남는다. 사랑만큼 좋은 글 소재가 또 어디 있으랴, 그러니 여러분 다음을 또 기대하시길.

〈나는 런던에서 사람책을 읽는다〉 이 책은 내가 런던에 가기 전 읽었던 책이다. 책장을 넘기면 런던에서 만난 사람들의 모습이 보인다. 이야기를 만나기도 전에 이들의 미소가 먼저 독자를 반긴다. 독자로서의 내가 저절로 마음을 여는 순간을 마주한다. 작가가 런던에서 만난 사람들의 표정은 마치 내가 몇년 전 런던에서 만났던 사람들과 비슷하다. 사람이 사는 세상. 사람을 만나기 위해 떠난 여행. 사람으로 채워진 우리들의 이야기. 나 역시 이 책과 비슷한 여행을 끝마치고 온 것 같다. 그리고 생각한다. 앞으로 나의 여행의 목적은 조금 달라져야겠구나 하고, 피하고 외면하고 도망치는 여행이 아니라 좋은 인연으로 조금 더 새로워지고 채워지고 달라질 일상을 기대하면서 말이다.

이 책이 내 책장에 꽂혀 있는 것도 벌써 오랜 세월이 지났다. 언젠가 런던으로 다시 떠나는 날이 온다면 나는 이 책을 다시 펼칠 것이다. 그날이 빨리 왔으면 좋겠다.

우리의 모습

- 〈the closet novel 7인의옷장〉

김중혁 정이현 정용준 은희경 편혜영 백가흠 손보미

한국 현대소설의 가장 최전방에서 시대의 모습을 놓치지 않고 포착하는 작가들이 있다. 이들이 오늘을 살아가는 방식은 세상에 존재하는 다양한 삶의 이야기들을 집중해 이야기로 완성하는 일이다. 〈the closet novel 7인의 옷장〉 이번 소설집의 프로젝트가 인상적이었던 건 문학과 패션이라는 두 가지의 카테고리의 접점에서 만든 이야기였기 때문인데, 이 글을 읽고 나 역시 두 가지 영역이 전혀 다른 부분이라고 여겼던 것에 대해 조금 생각을 달리할 수 있었다. 시대를 반영한다는 측면에서 문학과 패션은 얼마든지 같은 이야기가 될 수 있다. 글을 쓰는 사람과 옷을 만드는 사람이란 현상을 있는 그대로 바라보는 노력과 함께 조금 더 상상력을 발휘할 때 극적인 결과를 만들어 낼 수 있다. 그런 점에서 이 두 가지를 이야기로 함께하는 시도는 신선하고 즐거운 일이었다. 마치 누군가의 옷장을 여는 듯한 신비로운 느낌을 줬던 소설들을 읽으며 지난 날 나의 세계에 펼쳐진, 우연하고도 필연적인 이야기들을 떠올렸다.

런던에서의 어느 날 밤. 우리는 그 날도 이 아름다운 하루가 저무는게 아쉬워 정처없이 걷다가 작은 맥주집에 들어갔다. 사람들은 이미 맥주병을 하나씩 들고 저마다의 이야기를 나누고 있었다. 이 세상에 비밀이란 없는 사람들처럼 그들은 자신에 대해, 자신을 둘러 싸고 있는 모든 것에 대해 거침없이 이야기했고, 그들이 들고 있는 맥주병은 마치 하나의 마이크처럼 사용하고 있는 듯 했다. 그들의 대화에는 속속들이 감정이 실려 있었다. 슬픔과 절망이 있었고 기대와 부푼 감정들이 있었고 억울함과 희열 등이 있었다. 나도 그 분위기에 취하고 싶어 남편과 맥주 한 병씩 사들고 이야기를 시작했다. 앞으로 같이 살게 된 걸 축하하고 되도록 죽을 때까지 같이 살자는 이야기였던 것 같다. 그 이야기는 꽤 진지했고 웃다가 울기도, 울다가 웃기도 했다. 그렇게 한참 동안 우리의 밤과 이야기가 무르익어가고 있었다.

우리 테이블의 바로 옆. 한 커플이 우리의 언어를 궁금해했다. 한국어라고 했다. 우리는 일주일 전 결혼을 했고 지금은 신혼여행 중이라고 했으며 우리가 무슨 일을 하는 사람인지 어디로 갈 것인지 이런 것들을 이야기했다. 우리의 이야기를 듣던 커플이 놀라며 말했다. 사실 그들은 영국인이 아닌 포르투갈에서 왔는데 그들도 신혼부부였던 거다. 영국으로 신혼여행을 왔는데 영어를 잘 할 줄 몰라 힘든 여행 중이라고 했다. 신기한건 이 모든 말들을 영어로 했는데, 영어를 못한다는 말은 뭔가 싶었다. 아무튼 그들이 신기하게 여겼던 건 우리의 모습과 언어였다. 서양인들은 동양인을 보면 보통 일본, 그리고 중국에서 왔다고 생각하는데 우리의 언어가 분명 일본어, 중국어는 아니라고 생각했다는 거다. (약 6년 전의 일이니까, 한국의 인지도가 지금과 달랐던 건 분명하다.) 가벼운 분위기로 친밀감이 쌓인 후 나는 우리가 그럼 어느 나라 사람인 것 같냐는 질문을 했다. 그들의 대답에 웃음을 터트렸다. 나는 일본, 남편은 중국인 것 같은데 언어가 이상해서 모르겠다고 했다. 그게 무슨 말이야. 지금 다시 생각해도 웃기는 대답이다.

그들이 그렇게 생각한 이유는 우리의 모습 때문이었

다. 한국인 같은 모습, 일본인 같은 모습, 중국인 같은 모습. 우리도 모르게 답습해 온 패션. 그리고 그럴 것이라는 편견. 그 모든 것들이 겹치고 섞여 있었다. 그 결과 오늘날 우리의 대화가 이토록 우스꽝스러워졌던 거다. 우리가 만났던 포르투갈의 신혼부부는 인종차별이나 편견이 있었던 사람들은 아니었다. 불쾌감을 주려던 질문이 아닌 진심으로 우리들의 모습을 궁금해했다. 우리들의 언어도 매력적으로 느껴졌다고 했다. 나는 천천히 말했다. 우리는 한국인인데, '노스' 아니고 '사우스'말이다. 그리고 분명 그건 차이가 있고 차이가 있다는 건 있는 그대로의 사실일 뿐, 나도 어느 한쪽에 대한 치우친 비하나 편견을 갖고 싶지는 않다고 했다. 우리는 서로 영어 아닌 영어같은 영어로 그 깊은 대화를 주고 받았다. 맥주를 다비울 때까지 말이다.

지금와서 다시 생각해보면 그들의 눈에 내가 일본인같이 보였던 건 당연한 일일지도 모르겠다. 나는 일본의 장인 정신을 언제나 높게 평가하는 남편의 태도에 크게 동의했던 상태 였고 영국으로 가는 비행기 안에서 공교롭게도 무라카미 하루키의 〈나는 여행기를 이렇게 쓴다〉를 읽으며 완벽한 신혼여행을 꿈꾸고 있었기 때문이다.

(하루키가 일본 느낌이라는 데는 동의하지 않지만 끼워 맞추자면 그렇다.) 이제는 또 다시 오래 전 일이 돼 버린 그 날의 저녁. 그 날의 만남. 나는 그 어색하고 공교롭고 우연한 일을 위해 책을 읽어야 하고 언어를 배워야 함을, 더 너른 마음과 생각을 가져야 함을 절실히 느낀다. 나는 그것에 대해 오늘 내가 어떤 옷을 입느냐, 하는 문제만큼 중요하다고 진지하게 주장하고 있다.

우리가 앞으로
- 김중혁 〈스마일〉

파리에서 베를린으로 가는 기차 안에서 남편과 잠깐 실랑이를 한 적이 있다. 우리 바로 옆에는 노부부가 타고 있었는데, 젊은 동양인 커플이 낯선 말로 이야기하는 게 신기했던 모양인지 말을 걸어왔다. 대략 어디에서 왔느냐, 어디로 가느냐, 베를린에는 왜 가느냐, 얼만큼의 기간 동안 여행을 하느냐, 한국에서는 무슨 일을 하느냐, 하는 평범한 질문이었다. 남편과 나는 짧은 영어 때문에 자세하게 설명하지는 못했지만 노부부 덕분에 가는 길이 지루하지 않았다. 실랑이가 시작된 건 노부부라고 굳게 믿고 있었던 할머니 할아버지가 다른 종착역에서 각자 내리면서부터였다. 할머니가 내리고 다다음 역에서 할아버지가 내렸다. 지금까지 부부로 알고 있었는데, 뭔가 헤어지는 느낌은 두 사람이 분명 남이었기 때문이다. 허허 이

거 참. 두 분이 모두 내려버려서 물어볼 수도 없는 노릇이다.

우리는 생각했다. 부부가 맞지만 오늘 그저 가는 길이 달랐던 것이 아닐까, 또는 부부가 아니라면 우리가 서양인들의 분위기에 적응하지 못해서 부부라고 생각한 것이 아닐까, 이런 생각들이었다. 잠깐의 실랑이 끝에 남편이 말했다. 우리는 누가 봐도 부부였으면 좋겠다. 그래 그럼 손을 잘 잡고 다니자. 그래, 여긴 또 낯선 곳이니까. 그렇게 내가 대답했다.

김중혁의 소설집 〈스마일〉은 그의 단편 소설들을 엮은 책이다. 작가는 본질을 감각적이고 유머러스한 대화와 문장으로 만들어 내는 능력이 있어서 이야기를 통해 슬픈 것도 웃을 수 있게 하지만 슬픔을 잊게하지는 않는다. 〈스마일〉에서는 비행기 안에서 겪은 결코 작은 이야기라고 판단할 수 없는 에피소드를 다루고 있다. 웃음이라 명명하지만 결과적으로 섬뜩함이 맴도는 이야기의 끝은 이거, 웃어야 하는 건지 조금은 슬퍼해야 하는 건지 독자를 헷갈리게 한다. 언제나 김중혁의 소설이 그렇듯. 나는 소설을 읽고 어떤 결과를 도출하려 하기보다 그런 이야기가 있었구나, 라는 마음으로 넘겼다. 생각해보면 우리 삶도 그렇게 남겨두는 이야기들이 더 많기 때문이다. 나는 김중혁의 소설을 읽으며 기차 안에서 서양인 노부부(가 아닐 수도 있는)를 만났던 일이 생각났다. 판단이 흐려진 순간에 누구의 잘못도 아닌 그저 상황이 헷갈리는 그 순간에 끝까지 결론을 내리지 못하고 기차에서 내렸던 그 날. 우리는 그 일들로 인해서 무엇을 확인했는가, 하는 문제가 떠올랐다.

결국엔 우리가 만났던 그 두 사람이 부부이거나 부부가 아닐 수도 있다는 사실은 중요한 문제가 아니었다. 우리에게 남은 건 '우리가 앞으로'였다. 나는 삶에서 만나는 수많은 이야기가 이렇게 남기를 바란다. 저 멀리 누군가가 소리치는 허무맹랑한 이야기가 아닌, 홀로 대단하다고 뽐내는 도구가 아닌 나의 사랑을 단단하게 하기 위한, 개개인의 마음을 넉넉하게 하기 위한, 그래서 그것이 흔들리지 않고, 부족하지 않고 다른 이들까지 품어낼 수 있는 그런 이야기가 되기를 바란다.

이야기를 내 것으로 만드는 건 중요한 일이다. 그렇게 하기 위해 소설을 읽는 것이라 생각한다. 김중혁의 묵직

하고 울림이 있는 위트는 그렇게 우릴 위해 존재한다고
생각한다. 그러니 또다시 즐기자!

우리의 코리아

- 성해나 〈빛을 걷으면 빛〉

초등학교 6학년이 되던 해 나는 어느 기관에서 주최하는 교환학생 프로그램으로 호주 멜버른에 간 적이 있다. 한국 학생들의 영어회화를 방학 동안 단기로 향상해 주겠다는 그 프로그램은 멜버른의 가정집에서 가족과 함께 지내면서 소통하고 또래 아이들과 어울리면서 영어를 배우는 방식이었다. (아, 물론 낮 시간 동안에는 중학교에 가서 호주 친구들과 함께 영어를 공부하기도 했다. 엄밀히 말하면 그들이 나와 놀아주는 게 공부였다.) 나는 가끔 6학년 여름방학, 그때 멜버른에서의 기억이 꿈처럼 느껴진다. 좋은 집에 넓은 마당, 무엇이든지 물어보면 친절하게 대답해 주는 호주 친구의 부모님. 무엇보다 멋진 침대와 책상이 있는 방에 내가 아무거나 가지고 놀거나 궁금해해도 다 허용해주고 설명해준 금발의 친구. 지금 다시 생각해 보면 호주에 다녀온 목적은 영어 공부가 아니라 선진국 가정 환경을 경험하기 위한 것이었다.

어느 날 밤. 마당에서 바비큐를 먹고 호주 친구와 마당에서 불멍을 하며 이야기를 했다. (지금은 우리나라에도 흔한 풍경이지만, 그때 나는 수련회 때 캠프파이어를 제외한 불멍을 처음 경험했다. 당시에는 주변에서도 집 마당에서 캠핑 의자를 펼쳐놓고 불멍한다는 이야기를 들어보지 못했다.) 2002 월드컵이 끝나고 '대~한 민국!'이라는 응원가가 무척이나 자랑스러웠던 나는 친구에게 말했다. '유 노 대~한민국? 유돈노?' 친구는 어리둥절해 했다. 아니 이걸 몰라? 전 세계가 지금 한국 축구로 난리인데? 나는 속으로 생각했다. 한 번도 들어본 적이 없다고 대답한 호주 친구에게 대한민국 4강 신화의 이야기를 들려줬고, 내 이야기를 듣던 친구의 아빠가 들어본 적이 있는 것 같다며 어중간하게 말했다. 대한민국 축구 4강 신화. 적어도 그 공간에서는 나에게만 벅찬 일이었다.

친구가 벌떡 일어나더니 '대~한 민국'이라는 노래를 알려줬으니 자기도 나에게 요즘 좋아하는 노래를 들려주겠다고 했다. 빠른 템포에 안정적인 목소리. 정확히 가사가 들리지는 않지만 한 번 들으면 멜로디를 자꾸 생각하게 하는 그 노래. 에이브릴 라빈의 Complicated였다. 나와 동갑이었던 금발의 친구는 에이브릴 라빈의 목소리는 정말 매력적이라며 요즘 열심히 이 노래를 외우고 있다고 했다. 언젠가 학교 축제 때 부를 거라고 했고 안정적이고, 넓고, 따뜻하고, 무엇인가 어딘가 모두 꽉 채워진 듯한 멜버른의 어느 가정집에서 에이브릴 라빈의 노래가 그렇게 오래도록 들렸다.

한국으로 돌아와 나는 다시 학교에 갔다. 월드컵의 열기도 조금 사그라진 것 같았다. 한 학기만 지나면 중학교에 가야 하고, 중학교 공부는 정말 중요하니까. 나는 그렇다 할 추억 없이 6학년을 마무리했다. 그리고 겨울방학, 크리스마스 전후 즈음 시내의 어느 상가에서 그 노래가 들렸다. 에이브릴라빈 컴플리케이티드. 사람들은 캐럴처럼 이 노래를 들었다. 겨울과 잘 어울리는 노래라고 생각하는 분위기였다.

코로나가 터지기 직전. 남편과 함께 멜버른에 간 적이 있다. 물론 교환학생은 아니었다. 우리는 좋은 호텔에서 잠을 잤고, 스페셜티 커피를 마시러 다녔다. 다니는 곳마다 사람들이 우리를 반겨줬다. 사우스 코리아 굿. 분명 그곳은 같지만 다른 멜버른이었다. 같지만 다른 우리일 수도 있고.

성해나의 〈빛을 걷으면 빛〉에 수록된 작품들을 읽고 지난 날 멜버른에서의 추억이 생각났다. 소설을 읽으면 표면적으로 알게 되는 세대간의 갈등과 소통의 문제들을 만난다. 오늘날의 이슈와 문제라고 할 수 있는 갈등이란 키워드는 어쩌면 한 순간에 생긴 말이 아닌 듯 하다. 30대 중반. 나는 겨우 이 짧은 세월을 살았음에도 불구하고 너무도 달라진 세상을 마주한다. 때론 그 속도가 너무 빨라 잠시 스스로를 멈춰 쉬어가는 연습을 할 정도다. 이 세월을 온 몸으로 직면한 다른 세대는 어떨까. 생계와 현실을 잠시 외면하고서라도 조금 더 세상을 이해하고자 하는 여유를 가질 수 있었을까. 어려운 일이라고 생각한다. 갈등을 조장하기 위한 세력도 분명 존재하지만 모든 세대가 갈등을 피해갈 수 없다면 한 번쯤은 개개인이 스스로 멈춰서 마주해야 하지 않을까.

우리가 사는 대한민국은 과연 어떤 곳인가. 우리는 지금 이곳을 어떻게 바라보고 있는가. 나는 소설을 읽는 내

내 골똘히 생각하느라 읽는 속도가 저절로 느려질 때도 있었다. 그 과정은 언제나 행복했다. 오늘날의 대한민국이, 대한민국의 내가 정말이지 궁금하다.

우리의 행복

- 에릭와이너 〈행복의 지도〉

이어령교수와 이재철목사의 대담집 〈지성과 영성의 만남〉[4] 이란 책에는 오래도록 내 머릿속에 자리 잡은 이 야기가 있다. 인류 역사의 굵고 긴 지성의 끈도, 신을 알 고자 하는 한낱 미물인 인간의 영성을 향한 노력도 모 두 우리가 행복으로 가는 길이 무엇인지 궁금하기 때문 에 시작했다는 사실이다. 진정한 행복. 살아가면서 필요 하거나 살다가 얻지 못했다면 천국에서라도 반드시 경험 하고야 말겠다는 인간의 본능이 역사와 미래를 만든다는 결론이었다.

행복이 무엇인지 궁금할수록 우리는 허무를 경험하고 보다 더 본질적이며 변하지 않는 대상을 찾게 된다. 그러 나 그 대상이 완벽히 행복을 가져다줄 수 있을지는 의문

---

4 이어령, 이재철 〈지성과 영성의 만남〉 홍성사

으로 남더라도 행복을 찾아가는 여정 속에서 행복의 일부분을 경험할 수 있다는 게 지성인과 영성인의 결론이었다. 행복은 찾으려 할 때 희미하게 보인다. 희미하게 보일 때 우리는 행복으로 파생된 다양한 단어들을 만난다. 이를테면 희망, 사랑과 같이 말이다. 다들 경험해봐서 알겠지만 이것들은 모두 흐릿하게 우리 삶으로 들어오다가 사라지거나 흐린 상태로 조금씩 선명해지다가 각자 다른 모양의 흔적이 된다.

이쯤이면 알아차리셨겠지만 나에게 여행은 도피였다. 무엇을 찾으러 떠나는 것이 아닌 무엇을 잊고자 출발했다. 무엇을 얻고 발견하겠다는 욕심 없이 대체로 무엇을 생각하지 말자는 주의였다. 그런데 여행은 떠날 때마다 나에게 무엇을 안겨준다. 내 삶의 다음 스텝, 인생의 소중한 인연이 된 새로운 만남. 구체적이지 않았던 꿈에 대한 확신. 뭐 이런 엄청난 것들이었다. 기대하지 않았던 탓에 당황한 적도 많았다. 내가 당황할수록 희미했던 행복은 조금씩 뚜렷해졌다.

작가를 하려면 경험을 많이 해보고 영감을 많이 받아야 하지, 그래서 여행이 필요하지. 틀린말은 아니다. 그러나 나는 조금 다르게 말하고 싶다. '누구나 행복해지길 원하니까 떠나야 합니다. 행복은 어디에나 있고 그렇기에 지금 당장 행복해질 수도 있으니까요. 행복은 그렇게 희미한 채로 세계 곳곳에 있어요. 그래서 여행이 필요합니다.'

에릭와이너의 〈행복의 지도〉에서는 무엇이든 지금의 일들을 신경 쓰지 말고 언제든 어디든 떠나라는 말을 전한다. 매일 같은 곳을 출근하고 걷고, 가고 돌아오는 사람들이라면 더더욱 떠나라고 말이다. 여행이란 의미에 대해 생각하게 하고 그 의미를 통해 결국엔 일상의 의미를 발견하게 하는 에릭와이너의 글은 감수성을 풍부하게 하는 화려한 문장이 아님에도 불구하고 삶의 위로를 안겨준다. 그의 글에는 이런 문장이 있다.

우리가 스스로 행복해지는 방법은 기본적으로 딱 세 가지밖에 없다. 긍정적인 감정을 증가시키는 것, 부정적인 감정을 감소시키는 것, 아니면 화제를 바꾸는 것. 이 세번째 방법을 우리는 거의 고려하지 않는다. 설사 고려하더라도 현실도피라며 무시해버린다.

태국사람들에게는 다른 방법이 있다. '마이펜라이'라는

방법. 이건 '신경 쓰지 마'라는 뜻이다. 우리 서구인들이 대체로 화를 내면서 '에잇 신경쓰지마 내가 알아서 할테니,'라고 말할 때의 그 의미가 아니라 정말로 '고민은 그만두고 앞으로 나아가라'라는 의미다. 태국에 사는 외국인들은 이런 사고방식을 자기 것으로 만들거나, 아니면 미쳐버린다.

인간은 행복을 찾기 위해 여행을 떠난다. 종교를 찾고 역사를 만든다. 모든 것은 행복이란 목적을 두고 시작한다. 행복은 보이지 않기에 언제나 탐구할 만한 대상이며 개개인의 방식으로 뚜렷해지기를 욕망한다. 물론 그 욕망이 비뚤어졌을 때 파괴도 낳는다. 우리는 그 모든 비극과 희극을 경험하며 오늘을 살아간다. 어쩔 수 없는 현실을 살아간다는 것은 바로 이 모든 것을 알차라리고 가겠다는 다짐을 전제한다. 우리의 행복은 끝이 없기에 여행도 무한하다. 온전하게 뚜렷해지지 않기에 살아가야 할 이유가 존재한다. 우리의 육신은 유한하다. 그렇기에 언제나 행복의 단면을 살아간다. 우리의 유한함은 다른이들의 행복을 부러워하기도 하고 질투하기도 하고 반면에 동경하기도 한다. 행복과 다른 방향에 있는 불행도 같은 원리다. 이 논리가 위로가 되는 것은 행복으로 충만해진 사람이 없듯. 불행으로 뒤덮인 인생도 없다는 사실이다.

유한한 인생의 유한한 여정. 유한한 우리. 책장의 마지막 페이지를 덮으며 생각한다. 서로가 같음을 인지하고 인정할 때 비로소 조금 더 좋은 세상이 오지 않을까 하고.

4부

게리 올드만을 생각하다
- 에리크 뷔야르 〈그날의 비밀〉

영화 〈레옹〉[5]의 OST를 소개하는 원고를 쓰게 될 일이 있어 영화를 다시 봤다. 내가 글을 쓰는 라디오에서는 약 2분도 채 안 되는 시간 동안 영화의 내용과 감상을 함축적으로 잘 표현해서 이야기해야 한다. 영화의 어느 부분에서 이 음악이 인용됐는지 어떤 장면에 음악이 어떤 극적인 효과를 불러일으켰는지 객관적이면서도 주관적인 감상이 들어가야 하기에 영화를 다시 볼 수밖에 없었다. 영화 〈레옹〉을 처음 봤던 건 내가 고등학생 때였다. 여고생이었던 나는 이 세상의 킬러는 나쁜 사람이지만 예쁘고 착한 아이들에게는 선한 본성을 드러내는 구나, 뭐 이런 착각을 했던 기억이 있다. (아, 순수했던 그 때 그 시절의 감수성과 감상은 이제 다시는 할 수 없을 것이다.)

---

5 뤽 베송 〈레옹, Leon〉, 1995

킬러는 킬러다. 말 그대로 사람을 죽이는 사람. 어른이 된 후 다시 보게 된 〈레옹〉의 감상은 많은 부분이 변했다. 영화를 다시 보며 인물 중 새롭게 눈에 들어왔던 인물은 게리 올드만이 연기했던 '스탠스 필드'였다. 나쁜 사람은 끝까지 나빠야지, 그래야 말이 되지, 그리고 벌을 받아야지. 동정하거나 그의 과거 따위를 이해하지 않고 나쁜 일들은 나쁘다고 단정해야지. 그래야 세상이 조금이라도 덜 혼탁해지고 불공정한 일들도 납득할 수 있는 범위에서 설명이 가능하지 않을까 싶었다. 킬러에 대한 이해를 시작하면 그것은 위험한 결론으로 치닫기 때문에 나는 어느 순간 개인의 삶보다는 사회적인 안전망이나 교정 프로그램에 대한 필요성으로 감상을 마무리 했다. 교정이 될 것 같지 않은, 앞뒤 이유가 없는 악인 스탠스 필드. 그의 모습을 보고 있노라면 치가 떨리는데 그것은 완벽에 거의 가까운 게리 올드만의 연기 때문이라 생각한다. 사실 나는 〈레옹〉 이야기를 하려는 게 아니다. 게리 올드만의 연기에 대한 놀라움을 말하고 또 말하며 봤던 영화, 〈다키스트 아워〉에 대한 이야기를 하고 싶어서 서론이 길었다.

영화 〈다키스트 아워〉[6]에서 영국 수상 처칠을 연기한

---

6 조 라이트 〈디키스트아워 Darkest Hour〉 2018

게리 올드만의 모습을 잊을 수 없다. 영화 속 이야기에 집중하지 못할 만큼 압도적이었던 그의 연기는 다시 봐도 인상적이었다. 불행인지 다행인지 그저 '와, 어떻게 사람이 저럴 수 있지?' 하며 그의 연기에 감탄하다가 영화가 끝난 기억이 있다. 덕분에 영화 속 숨은 이야기들에 관심을 갖다가 자연스럽게 열정이 사라졌고 그렇게 영화는 내 머릿속에서 잊혀져 갔다.

최근 〈다키스트 아워〉를 다시 보게 된 이유는 에리크 뷔야르의 〈그날의 비밀〉을 읽었기 때문이다. 〈그날의 비밀〉은 2차 세계대전이 일어나기 직전인 1933년 2월의 어느 날 독일 대기업의 총수들이 모인 비밀 회동이 시작되는 장면으로 시작한다. 히틀러와 괴링은 물론 우리에게 익숙한 이름들이 나열되며 이것이 과연 소설인가 실제 있었던 일인가를 끊임없이 의심하고 상상하며 읽게 된다. 전쟁 직전의 상황. 그 상황은 엄청나게 극적이지도 않고 분노에 차거나 심한 고성이 오가거나 누군가의 계략이 들통나거나 끔찍한 장면들이 나열되거나, 이렇게 우리가 예상할 수 있는 일들이 일어나지 않는다. 소설은 이렇게 시작한다.

태양은 차가운 별이다. 그 심장은 얼음 가시이다. 그 빛은 비정하다.

소설은 내내 이 감수성을 끌고 간다. 봄이 오는 따뜻함을 어딘가에서 끈질기게 막고 있는 듯한 답답함과 스산함이 내내 밀려온다. 어딘가에서 언젠가 벌어졌을 법한 그들의 이야기는 곧 참혹한 현실을 당도하게 하는 원인이라는 걸 독자는 자연스럽게 알게 된다. 그 결말을 알아서 일까. 모든 대화들이 칼날처럼 스친다. 소설을 읽고 영화 〈디키스트 아워〉의 장면들을 다시 떠올리면 그 날의 처칠의 모습이, 그리고 그를 둘러 싼 당시 사람들의 대화가 다시 들리기 시작한다. 태양의 차가움을 몸소 느끼고 있었을 그들의 절규를 다시 들을 수 있다.

이쯤에서 다시 〈레옹〉의 스탠스 필드가 떠오른다. 차갑지만 아주 조심스럽게 언제나 조급함이 없는 그 악함은 어쩌면 영화 속에만 존재하는 것이 아닐지 모른다는 생각이 든다. 영화 속에 등장하는 한 개인의 악함이나, 비밀리에 진행된 회담을 이룬 〈그날의 비밀〉에 등장하는 조직의 악함은 어떤 근거나 당위성이 필요하지 않다고 확신하는 순간이 온다. 차가운 순간에 싹을 틔운 존재는 그저 사라지는 것 외에 그 어떤 현실로도 다시 돌이킬 수 없다는 걸 알게 된다. 안타까운 건 이럴 줄 알면서도 한 미치광이의 말에 휘둘려 많은 사람들이 권력과 탐욕에 사로잡히는 일들은 요즘도 끊이지 않고 있다. 차가운 순간에는 싹을 틔우기를 멈추고 다시 봄이 오기를 잠자코 기다려야 한다. 봄에 싹을 틔워야 꽃이 피기 때문이다.

마지막으로 〈그날의 비밀〉의 문장이다.

그렇다. 전쟁이 시작되기도 전에, 눈 멀고 귀먹은 르브룅이 복권 사업에 대한 법안을 처리하고, 핼리팩스가 음모를 거들고, 겁먹은 오스트리아 국민이 어떤 미치광이의 모습에서 나라의 운명을 보았다고 믿었을 때, 수천 벌의 나치스 군복은 이미 소품 창고에 입고가 끝난 터였다.

크리스마스에는 그래도 축복을
- 최은미 〈눈으로 만든 사람〉

첫인상이 중요하다, 또는 그렇지 않다. 한 때 온라인에서는 '첫인상'에 대한 논쟁으로 뜨거웠던 적이 있다. 연애 프로그램이 인기를 끌면서 좋은 관계를 유지하기 위한 법. 좋은 사람으로 기억되는 법 등. 인간관계에 대해 개인의 경험과 생각이 논쟁의 근거가 된 것 같다. 사실 이 논쟁은 크고 작은 범위에서 지금도 계속되고 있다. 나 역시도 피해갈 수 없다.

며칠 전 프로그램으로 만나게 된 게스트와 함께 회의를 핑계삼아 점심식사를 하게 됐다. 나이또래가 비슷했던 우리는 통하는 게 많았다. 방송국 복도에서 짧게 이야기를 나눠도 왠지 모를 기분좋은 기운이 느껴졌다. 그녀의 직업은 기자. 지역의 한 신문사에 소속된 그녀는 이른 나이에 직장생활을 시작했다. 20대 초반에는 서울에 있는 신문사에 입사를 하고 싶어서 소위 말하는 언론고시를 준비한 적도 있었다. 입사를 한다고 해도 서울에서 살면서 월세와 생활비를 감당할 자신이 없었던 그녀는 지방에 있는 신문사에 입사를 하기로 했다. 지금은 부모님과 함께 살면서 출퇴근을 하고 있었다. 지역에서 생활한다는 것은 출세를 포기했다는 것과 다름없었다. 그런 마음은 젊은 날 우리에겐 꽤 큰 상실을 안겨줬다. 기회비용이라는 것도 있는거니까, 하고 마음을 다잡아보지만 그렇다고 일이 재밌는 것도 아니다. 오래된 관습에 익숙한 사람들은 시대가 변함에도 불구하고 전혀 달라질 것 같지 않다. 그들에게는 현상유지가 최고의 덕목이기 때문이다.

그녀와 식사를 하며 '우리가 할 수 있는 일'에 대한 이야기를 했다. 변하지 않는 틀과 제도 아래, 지방이라는 한계와 나아지지 않는 현실에 우리가 갖는 꿈이란 과연 소용이 있는 것인가. 하는 문제였다. 아무리 생각을 짜내도 답은 나오지 않았다. 지방에서 활동하는 작가와 기자는 그저 지방에 있는 노동자에 불과했다. 이렇게 생각하니 우리가 너무 초라하다. 걱정도 아닌 체념의 한 숨이 푹 쉬어진다. 그 때 기자 친구가 말했다. "그래도 일할 수 있어서 다행이에요, 저는."

그는 초중고 내내 공부를 꽤 잘했던 친구다. 서울에 있는 사립대학교는 충분히 갈 수 있었지만 집안 사정으로 지방에 있는 국립대학교를 택했다. 부모님과 일찍 독립하고 싶었지만 집에 아픈 오빠가 있어서 언제나 현실적인, 경제적인 문제에 부딪혔다. 대학을 간 뒤에도 용돈은 스스로 벌어야 했고, 심지어 부모님께 아르바이트로 번 용돈의 일부를 드리기도 했다. 일찍 취업을 하는 것이 지겨운 삶의 굴레를 조금 벗어나는 길이라고 생각했던 그녀는 대학 시절에도 열심히 공부했다. 그러나 그녀는 그 굴레를 여전히 벗어나지 못했다. 이렇게 현실은 늘 우리 앞을 가로막는다. 꿈과 비전이란 말은 사치일 뿐이다. 기자 친구와의 점심시간이 아니었다면 나는 그녀를 몰랐을 것이다. 여전히 그녀의 첫인상이 전부였을 것이다. 그렇다고 해서 그녀의 삶이 불행한 것은 아니다. 나는 어쩌면 그녀의 첫인상이 오히려 그녀의 삶을 이끌어가고 있는게 아닐까, 생각한다. 그녀가 하고 싶고, 되고 싶은 그녀 자신. 그 마음이 그녀의 삶을 이끈다. 나는 그녀의 이야기를 들으며 다짐한 것이 있다. 그녀의 삶에 타인으로 존재했

136

던 나 스스로가 그녀와의 인간관계를 위해 그녀를 바라보지 않기로. 그녀의 삶을 있는 그대로 존중하는 마음을 먼저 갖기로 했다.

우리는 서로가 '있는 그대로 바라보기'를 연습해야 한다고 생각한다. 서로의 인생의 단면만을 경험하는 우리는 단 한마디의 말과 행동, 표정으로 서로를 응시한다. 때로는 그 응시가 낙인이 되어 상대방의 전부가 되기도 한다. 그러나 서로에게 속속들이 아는 삶이란 존재하지 않는다. 그래서 나는 나의 세상에서 꿈꾼다. 감추지 않고 내세우지 않고 평범한 일상의 시선으로 서로를 바라보기를.

〈눈으로 만든 사람〉에서는 대부분의 사람들이 외면하고 있는 작은 생의 장면들을 조금 더 자세하고 면밀하게 살펴보는 노력을 기울였다. 우리가 만나는 사람들의 생은 그 작은 장면들이 겹쳐서 완성되지만 대부분의 사람들은 언제나 단 한 장면만을 보고 속단한다. 가족의 무게를 견디며 지방을 택한, 어쩔 수 없는 생을 견디는 여성. 그리고 또 다른 누군가의 삶. 모든 생은 한 장면만으로 표현할 수 없으며 그렇기에 펼쳐놓으면 우리에겐 결국 연대와 공감이 필요하다는 걸 알려준 소설이다. 우리의 시선은 이제 어디를 향해야 하는가, 나는 잠시 방황했다.

추위를 피해 몸을 숨긴 고양이, 가까스로 지붕을 만들었지만 눈이 오면 푹 꺼지기 쉬워 제발 화이트 크리스마스만은 피했으면 하는 어느 가족, 짝이 맞지 않은 장갑과 양말로 꽁꽁 얼어붙은 손과 발을 우겨넣고 겨우 바람을 피한 걸 다행이라 여기며 여전히 길거리를 헤메는 사람들, 아이들. 안전한 울타리로 여겼던 가정의 파괴, 보호자의 상실. 폭력의 그늘 뒤 사람들, 또다시 아이들. 어디로 끌려 갈지 모르는 운명을 받아들인 듯, 트럭 위에 갇힌 동물들. 전쟁은 태어날 때부터 있었던 터라 전쟁이 없는 삶을 한 번도 꿈꿔보지 못한 어느 나라의 여인과 사내. 그리고 사랑은 사치일 뿐이라 여기는 사람들. 그리고 또 아이들. 죽기 위해 태어난 동물들.

이토록 많은 생명들의 생에 크리스마스가 온 적은 있을까. 한 해, 그리고 또 한 해가 갈수록 나는 크리스마스의 희망 보다 절망을 목도한다. 본래부터 존재한 절망을 내가 이제야 발견한 건지, 스스로 절망에 다가가려 하는

지 알지 못한 채 오늘날의 크리스마스가 다가온다. 분명한건 내가 바라본 오늘날의 이 일들이 실제로 어딘가에서 일어나는 일, 존재하는 일이라는 거다. 이런 나의 생각에 혹자는 이렇게 좋은날 왜 이토록 분위기를 망치나, 모두 좋다는데 혼자 저러나 한다. 그들의 비난에 동의하면서도 나는 이 생각의 꼬리를 끊을 수 없다.

괴로움 속에 머물러 있던 나의 시선에 위로를 건넨 소설들이 있다. 특히 이 소설은 최은미가 남긴 5년간의 기록인데, 이 이야기들은 희망을 이야기하지도, 터무니없는 기대를 심지도 않는다. 어딘가에 놓여있고, 머물러 있고, 숨을 고르고 있는 중의 모든 순간을 그저 펼쳐 놓았다. 나는 이렇게 존재함이 그 어떤 화려한 미사여구가 붙은 희망의 메시지보다 강력하다고 생각한다. 누군가에게는 같은 삶에 대한 동의를 구하고, 또 다른 누군가에게는 연민과 불행이 무엇인지 인지하게하고, 결과적으로 나에게는 오늘날 나의 불안한 크리스마스에 대한 생각이 결코 헛되지 않음을 알려주고 있기 때문이다.

나의 불안과 괴로움은 이야기를 읽거나 때로 남기는 원동력이 되고, 그 결과는 내가 예측할 수 없는 방향으로 흘러가는데 이는 그 과정과 결과 모두 희망이며, 기대며, 아름다움이라는 말로 삶을 칭하는 모든 언어들이 포함되기 때문이다. 나는 또다시 새로운 성탄절을 맞이할 것이다. 그 다음 해의, 또 그 다음 해의 성탄절까지 나의 시선과 순간의 머무름은 어딜 향해 있어야 하는가. 이렇게 생각하고 돌아보는 오늘은 특별한 날이다. 나의 글을 읽은 여러분도 오늘이 그런 날이길 바란다.

예술은 예술이다
- 서이제 〈0%를 향하여〉

며칠 전 다소 자극적인 사진이 올라온 기사를 접했다. 미성년자인 가수가 한 오디션 프로그램에서 큰 인기를 얻게 돼 큰돈을 벌게 됐고, 운전면허가 없는 상태지만 고가의 차를 구입했다는 기사였다. 기사의 메인 사진은 고가의 자동차 앞에서 포즈를 취하고 있는 가수의 모습이었다. 이 기사가 다소 자극적이라고 표현한 데는 이유가 있다. 아직 미성년자인 그가 삶의 아름다움을 추구하는 데 있어서 돈을 과시하는 것을 최우선으로 삼았기 때문이다. 나는 이것이 매우 자극적이라고 생각하는데 물론 나와 다른 생각을 가진 사람들이 더 많을 수도 있을 거라고 예상하고 있기도 하다. 조심스럽지만 그렇기에 더욱, 오늘날 서이제 작가의 글을 읽은 나는 이 이야기를 하지 않을 수 없다.

소설의 이야기를 하자. 내가 읽은 〈0%를 향하여〉는 잊혀져 가는 예술에 관한 이야기, 그리고 오늘날 바닥을 바라보는 것에 익숙해진 청춘들의 이야기다. 나는 한 작품이 만들어지기까지. 그것이 영화든, 소설이든간에 작품을 만드는 사람은 삶에 대한 본질적인 질문에서부터 시작해야 한다고 생각한다. 영화와 소설은 그 질문에 대한 답을 찾는 과정의 부품일 뿐인데, 이 부품이 어떻게 작동하고 있는지, 앞으로 어떻게 작동할 것인지는 결과를 도출해 내는 건 언제나 관객과 독자의 몫이다. 그런데 오늘날 예술을 만들어 내고 완성하는 과정을 보면 어딘가 좀 비어있다는 생각이 든다. 이야기를 만드는 과정의 가장 처음을 말하자면 삶에 대한 고민이 빠져있는 경우도 있고 중간에서는 오히려 독자가 읽기를 거부하거나, 콘텐츠를 작위적으로 편집하기도 한다. 나는 예술을 위한다는 이 모든 과정이 마치 흙탕물처럼 보인다. 결론적으로 고민없는 출발은 망상을 낳고, 누군가에게 자랑하기 위해서만 존재하는 예술과, 시세를 고려하는 예술들은 예술 아닌 예술로 남는다. 오늘날 만연한 예술의 소비에 대해 마치 비통하듯. 서이제의 작품들은 착하면서도 목적이 단호했다. 나는 지금 진짜 예술이 무척 고프다는 거다.

다시, 젊지만 부유한 그 가수의 이야기로 돌아가자. 사람이라면 누구나 경험할 수 있는 외로움과 비열함에 대해, 어느 때 마주하는 모멸감과 혐오에 대해, 알 수 없는 만족과 희열, 그리고 희망이라 불리는 삶의 모든 순간들에 대해 표현할 수 밖에 없는 인간이란 존재는 언제나 예술을 빌려 그 이야기를 전한다. 그렇기에 예술에는 정답이 없다. 인생에 정답이 없는 것과 같다. 필름사진으로 찍어도 되고 몇 번을 눌러 같은 장면을 포착하는 스마트폰 카메라로 찍은 사진도 괜찮다. 창작자가 기억하는 순간들을 고유의 감상으로 채워넣는 행위는 그 자체로 예술이 된다. 이 예술을 누군가 함께 공유한다면 영향력이 커지는데 이 행위 자체로 어떤 것도 더할 수도, 덜 할 수도 없는 상태에 놓여있게 된다.

예술이 돈을 위한, 또는 명예와 권력, 그리고 그 어떤 목적을 위한 수단이 될 경우. 무언가가 완성되는 과정을 들여다보며 '이것이 과연 예술인가'에 대한 진위를 가리는 논의는 충분히 이뤄질 수 있다. 그러나 그것이 '있는 그대로 예술인가'에 대한 질문에 대한 답은 그렇지 않다, 라고 본다. 나는 그 젊고 경제적으로 부유한 가수가 음악을 대하는 모든 순간을 물질적인 환상으로 볼까 두렵다.

그 영향으로 또 다른 젊은 세대들이 음악을 돈의 수단, 그 이상도 이하도 아닌 소모품으로 견줄까 두렵다. 젊은 날의 성공(?)에 박수를 보내는 이들도 있지만 그와 동시에 그들의 음악적 사유가 이대로 가로막힐까 싶어 슬프다.

예술을 예술로, 꾸준함에서 오는 막연함들의 나열, 외면하고 싶지만 자꾸만 마주하는 미래에 대한 불안. 당장은 무엇부터 써야 할지 모르는 두려움과 외로움에 기꺼이 맞서기를 원하는 창작자들이 더 많아졌으면 한다. 먼저 내가 그렇게 되기를 소원하기도 한다. 그 길을 가고 있는 서이제 작가에게 고맙고. 앞으로 더 많은 작품으로 만났으면 좋겠다.

재즈와 클래식 그리고 글쓰기
- 위화 〈문학의선율음악의서술〉

'음악을 들을 땐 음악을 듣고 글을 쓸 땐 글을 씁니다. 두 가지를 동시에 하는 게 가능해요?.' 음악을 들으면서 글쓰기가 불가능 한 사람. 여기 있다. 내가 제일 부러운 사람이 바로 음악이 흘러나오는 카페에 앉아 노트북을 열고 글을 쓰는 사람이다. 독서를 하는 것 까지는 어느정 도 가능한데 그것마저도 불편한 감이 있다. 음악이 흘러 나오는 장소에서 책을 읽으면 확실히 진도가 더디다. 문 장을 읽다가 다시 음악으로 의식의 흐름이 밀려 들어갔 다가 나오기를 반복한다. 문장을 통한 리듬을 발견하기 도 전에 외부에 있는 리듬에 몸이 먼저 반응하니 어느 것 하나 집중하기가 어렵다. 이런 이유로 나는 조용하고 차 분한 공간을 선호한다. 아무도 없는 곳이 가장 좋다. (나 의 경우는) 글쓰기와 책읽기는 항상 고요함이 먼저 머물고 있는 공간에서 가능한 탓에 나는 종종 내 방구석에서 밤을 지새운다. 고동이도 잠든 그 시간에야 비로소 집중할 수 있기 때문이다. 나는 이런 내가 싫다. 나도 예쁘게 스티커를 붙인 내 맥북을 자랑하며 글을 쓰고 싶단 말이다. 내가 얼마나 키보드를 빠르게 칠 수 있는지 누군가에게 보여주고 싶단 말이다. 결과적으로 내가 보여줄 수 있는 건 완성된 글인데, 이게 정말이지 큰 자랑거리가 되려나 싶은 불안함에 내 인생은 언제나 아쉽다.

세상의 다양한 소리에 귀를 기울이고 시끄럽고 소란스러운 가운데에서도 자신의 루틴을 지키는 사람들, 평정심을 잃지 않고 결국 나의 갈 길을 걸으며 무슨 일이든 해 내는 사람들이 있다. 일련의 이 모든 일들은 음악을 들으며 글을 쓰는, 대단히 불가능한 일을 가능하게 하는 것과 비슷하다고 생각한다. 우리 삶은 우리를 시끄럽게 하는 일들로 가득하다. 내가 가야 할 길이 어디인지, 내가 원하는 것은 무엇인지를 혼란스럽게 하는 세상은 그 자체로 소음과 다를 바 없다. 소음이 어디에나 존재한다는 건 누구든 그 소음과 대면할 수 있다는 이야기다. 내 인생에 브레이크, 내 문장을 가로막고 있는 그 무언가, 그 어딘가에 앞으로 나아가는 힘이 존재한다면 지금 나를 붙잡고 있는 것은 과연 무엇일까. 소음일까, 내 안의 또다른 문제일까. 나의 글쓰기를 방해하는 소음을 통해 나는 내 삶의 소음들을 떠올린다.

재즈와 클래식을 좋아하는 이들은 그 소음과 언제나 맞서 싸우는 이들인 것만 같다. 결코 절망으로 치닫지 않고 그 방해의 시간들을 온전히 즐길 줄 아는 사람들, 삶의 모든 절망 속에서도 음악이란 단어로 치유를 시도하는 사람들. 그렇기에 비로소 진짜 삶에 대한 기쁨은 무엇인지, 어디에서 왔는지를 알고 있는 사람들. 재즈와 클래식을 사랑하는 사람들은 그렇다. 이 음악을 들으며 몸이 먼저 반응하는 이들이 부럽다. 내 몸이 반응하는 건 조금 다른 영역에서다. 이를테면 90년대 팝인데, 최근 내가 원고를 쓰고 있는 라디오에서 90년대 팝을 소개하는 코너를 써본 적이 있다. 원고를 쓰기 전, 엔싱크의 노래를 듣다가 또 백스트릿보이즈를 들었다가 브리트니스피어스까지 정주행을 하느라 마감시간에 밀려 불난듯 원고를 마무리했다. 팝에 반응하는 내 몸과 같이 다른 이들의 재즈와 클래식도 비슷하다면 나는 조금 더 그 세계를 이해하고 싶다. 재즈와 클래식이 들리면 나는 오히려 몸은 굳어지고 한참동안 생각에 빠진다. 다 듣고 난 후 멋진 감상을 하지도 못하면서 그렇다. 낯선 선율 속에 무언가를 발견하고 싶은 욕심이 앞선다. 다 듣고 난 후, 생각했던 걸 노트에 끄적인 흔적을 보면 쓸만한 게 아무것도 없는 경우가 대부분이다. 이쯤이면 음악을 들으면서 쓰는 글쓰기를 포기할 법도 한데 나는 꽤 자주, 다시 도전한다. 그러다가 결국 음악만 듣게 될 때가 많다. 음악만 듣는 그 시간을 의미있다고 여기기로 한다. 왜냐하면 이런 질투와 동경 덕분에 피터 제르킨의 피아노 선율도 좋아하게 됐고, 요하네스 브람스의 음악도 알게 됐기 때문이다. 모차르트와 베토벤, 슈베르트의 색깔도 구분하게 됐고, 빌 에반스 같은 사람의 책도 읽게 됐다. 이건 다 글쓰기와는 별개로 음악을 들었기 때문이라 생각한다. 나는 나름대로 내 삶에 이들의 음악을 적용하기 시작했다. 앞으로도 음악을 듣는 삶, 그리고 글을 쓰는 삶에 대한 경계를 조금씩 허물고 싶다. 아직까지 이를 동시에 한다는 건 불가능하다. 그러나 글을 쓸 때 내가 오늘 아침 들었던 그 음악이 내 글쓰기에 영향을 준다는 사실을 분명 알고 있다. 그리고 여전히 음악을 잘 알고 이에 대해 거침없이 자랑하는 이들이 나는 부럽다.

언젠가 내가 음악과 독서에 관한 감상문을 한 곳에 모

아 책을 만들 수 있다면 〈문학의 선율, 음악의 서술〉과 같은 글을 쓰고 싶다. 보르헤스에 대해 체호프에 대해, 카프카에 대해 지극히 개인적인 감상을 한다 해도 그 어떤 평가가 필요없는 그런 글. 문학을 영위한 한 개인의 감상이기에 자유롭고 신선한 그런 글 말이다. 사실 글쓰기는 작곡을 하는 일과 비슷하다. 어떤 이야기를 쓰고 싶다는 단순한 생각으로 시작하더라도 어떤 이야기로 끝날지 모르는 과정을 만난다. 글쓰기의 끝에는 처음 생각했던 결말을 만나지 못할 때도 있다. 하지만 이 모든 과정이 괜찮다. 그 과정을 있는 그대로 글쓰기라 여기면 그동안 의미없다고 여겼던 삶의 과정도 이해한다. 결과만을 쫓아가던 조급한 마음을 잊어버리고 오늘의 나를 집중한다. 이 책의 저자 위화 역시 그 오롯한 시간을 발견하며 작품을 완성해왔던 것 같다. 특히 그가 호메로스의 시를 언급하며 바흐의 선율과 같다고 표현한 지점에서는 고요함 속에 머물던 나의 방구석에서 웅장한 멜로디가 들리는 것만 같았다. 바흐의 선율에 대한 어렴풋한 기억, 〈일리야스〉에서 읽었던 서술의 매력이 떠올랐기 때문이다. 대지가 쿵쿵 울렸으리라 확신했다[7]는 위화의 감상에서 나는 바흐와 호메로스를 모두 떠올리며 음악과 서술, 글쓰기와 멜로디의 경계까 허물어지고 있는 순간을 경험했

7 위화, 〈문학의 선율, 음악의 서술〉 문현선 옮김, 푸른숲

다.

그런 의미에서 글쓰기와 독서는 외부의 자극으로 존재하는 음악을 들으며 실천한다는 건 거의 불가능한 일이 아닐까 싶다. 그 자체로도 끊임없이 요동치고 있기 때문이다. 한 문장을 완성하고 그 다음의 문장을 완성하기까지. 수많은 멜로디의 향연을 온 몸으로 느끼기를 반복해야 하는 작업이 글쓰기이기 때문이다. 그러므로 글쓰기란 다른 누군가와 한 문장도 같을 수 없다는 것에도 동의한다. 나의 마음의 넓이는 나의 눈동자 크기와 같기 때문이다. 다른 누군가와 같은 눈동자란 있을 수 없으며 그 눈동자로 바라본 세상은 모두 다를 수 밖에 없으니.

단 하나의 눈동자를 갖고 있는 나는 질투가 많다. 재즈와 클래식을 좋아하는 사람들을 부러워하며 읽고 듣게 된 세상의 이야기와 음악은 나의 글쓰기를 견고하게 한다. 내가 좋아하는 음악의 색깔을 더욱 뚜렷하게 한다. 나는 언제나 글을 완성하기 전에 먼저 질투를 쌓는다. 질투의 크기를 재 본 다음 글쓰기의 원동력이 여기 있다는 것을 알아차린다. 질투는 나의 원동력과 희망이다. 연초계획과 같은 진부한 말을 좋아하지 않지만(라디오 원고에서 너무 많이 써서 지겹다.) 계획을 좀 세워야겠다. 음악을 듣고, 책을 읽고, 글을 쓰는 것에 대해 말이다. 아직 시작도 못했다. 요동치는 글쓰기, 결국 음악, 나만의 멜로디로 완성되는 글쓰기를 끝낸다는 건 있을 수 없는 일이다.

얼어붙게 하는 순간들

- 김연수 〈이토록 평범한 미래〉

고레에다 히로카즈 감독의 영화 〈브로커〉[8]를 본 후, 배우 이지은에 대한 생각이 끊이지 않았다. 이미 이전에 나의 인생 드라마 중 하나인 〈나의 아저씨〉[9]에서 완벽한 '지안'이 되어 내 삶의 굴곡진 틈 사이로 들어와 준 배우. 가수로서도 이미 성공한 그녀지만 나는 이상하게도 그녀가 연기하는 게 좋다. 그녀만의 얼굴, 목소리는 작품 속 인물이 되어 화를 내고 욕을 해도 안아주고만 싶은데 그녀만의 힘이 느껴지는 부분이 아닐까. 뭐 이런 생각이 들면 팬이라고 해야 하나 싶기도 하다. 아무튼 배우 이지은의 연기가 좋았기 때문이기도 하겠지만 또 다른 이유를 찾자면 나는 종종 영화와 드라마를 보며 진짜 나를 발견하는 순간을 만나곤 한다. 그 순간에 나는 얼어붙는다.

---

8 고레에다 히로카즈 〈브로커 Broker〉 2022
9 김원석 연출, 박혜영 극본 〈나의 아저씨〉 2018

나와 인물이 겹치는 순간. 그런 순간을 만난다는 건 배우가 인물과 나(관객) 사이에 캐스퍼처럼 존재하며 완벽히 자신의 역할을 감당해 주고 있기 때문이라고 생각한다. (고로 배우는 정말이지 대단한 직업이다.) 브로커를 보기 전에 이런 경험은 켄 로지 감독의 〈나 다니엘 블레이크〉[10]를 봤을 때다. 나는 묘하게 이 두 영화의 공통점이 보였다. 슬픈데 행복한 인물들, 화가 많이 나 있는데 그래도 웃는 인물들, 자신만의 소심한 복수를 실천하면서도 그 복수가 정당하다고 뭔가 속 시원하게 말하지 않는 주인공들이 그렇다.

그렇다고 나는 사회의 불합리함 속에서 큰 차별을 경험하며 살았거나 먹고살기가 힘든 가난을 경험한 적도 없다. 그럼에도 나는 왜 이들의 이야기가 나의 이야기처럼 느껴질까 싶었다. 나는 그 찝찝함을 남기며 영화를 곱씹었고, 나름대로 주변 사람들에게 '그 영화 봤어?'라고 운을 떼기도 했지만 그게 자신의 이야기처럼 느껴진다는 사람은 드물었다. 그러다가 나의 이 찝찝함을 오늘 나에게 온 김연수의 소설이 어느 정도 해결해 주었다.

〈이토록 평범한 미래〉는 김연수 소설가의 단편들을

---

10 켄 로지 〈나 다니엘 블레이크 I, Daniel Blake〉 2016

엮은 소설집이다. 2014년도에 발표했던 소설도 있고 비교적 최근이었던 2022년 가을에 발표한 작품도 있었다. (가끔 계간문학잡지에서 발표된 단편 소설을 읽기도 하는데, 몇 달 전 읽었던 이야기가 오늘날 또 다시 읽으면 그 때와는 또 다르게 느껴지기도 한다. 소설은 가만히 있었을테니 그건 내가 그만큼 변덕스럽다는 증거이기도 하다. 내 변덕이 얼마나 달라졌는지 알아보고 싶을 때 다시 그 때 그 시절의 소설을 읽어도 좋겠다는 말로 일단 정리해두겠다.) 소설의 발표 연도에 어느 정도 세월의 간격은 있지만 만약 소설 속에 인물들이 실제 어디에 있는 누군가라면, 2023년 오늘 어딘가에서 어떻게 살고 있을 것 같다는 말도 안 되는 추정을 해보게 되는 이상한 소설들이다. 이번엔 소설이어서 배우가 존재하지 않았지만 이전에 봤던 영화 브로커의 소영, 나 다니엘 블레이크의 다니엘과 케이티를 저절로 떠올리며 글을 읽었다.

내가 이들을 생각한 건 〈이토록 평범한 미래〉의 소설 속 주인공들은 스스로의 인생에 대해 살아볼 가치가 있는가, 우리는 이 일을 계속해도 되는가. 어떤 결말이 좋은 결말이라 할 수 있는가를 끊임없이 질문했기 때문이다. 바로 이 질문의 지점이 영화 속 인물들의 공통점처럼 느껴졌다. 가끔은 그 질문을 따라가는 과정에서 세상을 원망하기도 하고 불합리한 가치관과 이념에 불같이 화가 나기도 하는데 이들은 온순하게도 자신에게 늘 화살을 돌리고 있다. 그 또한 어쩔 수 없는 일들이었다 해도, 그래서 절망이라고 해도 무방했지만 소설 속 인물들은 절망을 택하지 않았다. 그렇게 살아가기를 택했다.

나는 그렇게 '살아가는 인물들'이 사랑스러웠다. 소설을 읽으며 살아가는 내가 그들의 옆에 잠깐 서 있어 보기도 했다. 그건 분명 공감이었다. 그리고 어느 때는 사랑이기도 했다. 그 순간이 바로 내가 얼어붙는 순간이었다. 나와 나의 뒤에 있는 누군가. 나의 바로 옆에 있지만 나를 나 답게 하는 누군가가 어렴풋하게 생각나는 이야기들. 타인의 이야기를 읽고 있는데 끊임없이 '나'를 생각하게 하는 이야기들. 처음부터 끝까지 나를 위한 글인데 읽지 않을 이유는 없을 것 같다.

언젠가부터 우리 사회는 나를 위해 살지 않으면 어리석은 인생을 살아가는 사람처럼 생각하는 분위기가 존재한다. 나를 위한 선택, 나를 위한 결정, 나를 위한 소비가 모든 것을 괜찮게 한다. 소위 '힐링'이란 단어가 유행처럼 퍼지며 워라밸에 이어서 '나를 위한' 단어들과 메시지들이 홍수처럼 밀려오고 왔다. 세상이 요구하는 가치관에 따라 사람들도 휩쓸려간다. 나 역시 나를 위한 선택으로 살아가고 있으나 여기서 내가 진짜 나를 위해 놓치지 않아야 할 것은 타인도 나와 같은 자아. '나'라는 존재로 살아간다는 사실이다. 서로의 '나'를 존중하지 않고선 결코 개개인이 그토록 원하는 '나를 위해 사는 삶'은 불가능하다. 나를 위해 살기 위해선 남을 위해 살아야 한다. 그러나 나는 안타깝게도 현실의 단면들에서 타인을 외면하거나 오직 나만 살고자 하는 이기적인 마음과 결정을 자주 만난다. 그렇다면 진정 나를 위해 사는 일. 타인을 위해 사는 건 불가능한가. 우리는 태어나서부터 무조건적인 사랑이라 불리는 타인의 손길을 의지해 살았다. 우리의 본성만 찾아도 아니, 잊지 않아도 영 불가능한 일은 아니다. 그래서 나는 희망을 놓치지 않는다. 이기적인 나와 당신이 결국 서로를 위해 살기를. 그리고 그렇게 살아가기를. 배우가 자신의 명예를 위해 연기를 했다고 하자. 그 욕심으로 채워진 연기는 완벽할 것이다. 나를 위한 연기는 그렇게 멋있는 연기가 된다. 그러나 배우가 자신이 아닌 관객을 위해, 또는 함께 연기하는 상대 배우를 위해, 나아가서는 작품 속의 인물을 위해 연기를 하면 그 배우

의 연기는 관객을 얼어붙게 하거나 때론 눈물을 흘리게
도 할 수 있다. 마음을 움직이는 건 결국 자신의 일을 최
선을 다해 다른 사람을 위해 해낼 때 가능하다.

서울에 사는 내 친구가 둘째를 낳았다. 중학교 동창이
었으니 친구와도 정말 오랜 세월을 함께 했다. 자신과 똑
닮은 딸을 낳은 친구는 행복하다는 말을 자주 한다. 사랑
을 주기만 해도 만족할 만한 단 하나뿐인 존재가 생겨서
일 거다. 주기만 하는 사랑. 나에게는 어떤 게 있을까, 문
학?이라고 하면 너무 고고하게 느껴지려나, 그러나 어쩔
수 없다. 그런 것 같다. 찾고 있는 중이다. 가까이 있는 줄
알면서도 그렇다.

그럴 수도 있는 우리

- 정대건 〈GV빌런 고태경〉

한 편의 영화가 오래도록 좋은 기억으로 남거나 그렇지 않을 때가 있다. 이런 경우를 결정하는 중요한 요소는 영화를 같이 본 사람이 좌우한다. 영화를 보면서까지 복잡한 인간관계를 신경 쓰며 살아야 하나 싶지만 나에게는 꽤 중요한 문제다. 나의 이십대 시절엔 함께 영화를 본 이가 영화에 대해 동의할 수 없는 평가를 장황하게 늘어놓아도 꾹 참고 고개를 끄덕여 줬지만 이제는 그 마저도 피곤하다고 느낀다. 나는 더이상 상대방의 영화 평가를 애써 존중하지 않고, 혼자 보거나 남편과 볼 뿐이다. 나는 영화는 영화일 뿐, 영화 자체를 삶의 유희라고 생각한다. 언제나 가벼운 마음으로 영화를 즐기고 있다는 뜻이다. 감독의 메시지에 크게 동의가 될 때 왠지 모를 고마움을 느낄 뿐이다. 이런 나의 생각은 내가 이 영화를 만든 사람도 아니고 단지 감상한 사람일 뿐인데 영화에 대한 나의 지식이 자랑이 될 수 있는건가, 하는 의문이 들어서다. 간혹 몇몇 사람들의 영화 후기를 보면 허세로 치장한 인스타 피드 등이 조금 불편하게 느껴진다. 그 불편한 감정은 그들의 감상에 진정성이 궁금해지는 시점에서 일어난다. 창작자에 대한 존중이나 의도에 관심이 없고 오직 자신의 지식을 뽐내려는 의중이 느껴질 때 나는 불편한 감정을 느낀다. 댓글창에 '대사 한줄이라도 써 보고 하는 말인가.' 라는 문장을 적어놓고 전송 버튼을 누르지 못한다. 다시 또 혼자 영화보기로 돌아갈 뿐이다. 젠장, 후기 괜히 봤어 하고.

오랜만에 편안하고 자연스러운 소설을 만났다. 〈GV빌런 고태경〉이었다. 상황에 대한 객관적 이해와 평가, 그리고 편안한 서술이 무척이나 인상깊은 소설이었다. 여성을 화자로 세워 이야기를 이끌어가는 점은 작가가 의도한 서술 방식인가(?) 생각했다. 작가 이름을 미리 보지 않았더라면 작가가 분명 여자일 거라고 믿었을 것 같기 때문이다. 나는 소설의 이런 방식이 너무 좋았다. 겸손하지만 날카로운 시선이 담긴 이야기처럼 느껴졌다. 또 익숙했다. 내 주변에서도 소설 속 주인공인 고태경과 같은 인물이 존재하기 때문이다. (이를테면 내가 댓글 전송 버튼의 직전까지 가는 상황을 마주하게 하는 인스타 피드의 글 등이 그렇다.) 전송버튼을 누르지 않기를 잘했다. 그 전에 나는 이 소설을 읽었다. 소설은 내 삶에 실재하는 고태경인 그들을 새로운 시각으로 바라보게 만들었다. 소설을 읽고 난 후엔 '그런 사람도 있고, 그럴 수도 있지 뭐' 하는 편안한 감상을 자연스럽게 하도록 만들었다. 그래서 종종 잊었다. 이게 내게 있었던 일인지, 그저 소설 속 이야기인지. 그렇게 이야기에 잠시 머물다가 나는 소설과 같은 나의 삶이 재밌다고 느꼈다.

삶에서 '그럴 수도 있는' 존재가 되기란 쉽지 않다. 사람들은 모두 특별해지길 원하기 때문이다. 나 역시 마찬가지인 것 같다. 방송작가로서의 나, 소설을 읽는 나, 그 모든 순간의 나에게서 나는 특별해지고 싶은 마음이 있다. 그러나 결과적으로 그럴 수 없다는 걸 안다. 우리는 모두 엄마 뱃속에서 나왔고, 나 또한 그랬으며 모두가 다 흙으로 돌아간다. 아무리 특별한 순간을 만들어 내려 노력하거나 더 화려한 것들로 나를 치장해도 결과는 같다. 결국 아무것도 아니면 어떤 것부터 하는 것이 옳을까. 무엇을 할 수 있고, 무엇이 된다는 것이 의미있는 일인가 이런 의문들이 남는다. 의문을 풀지 못하고 대부분의 사람들은 허무하다는 말만 남기고 사라진다. 그러나 나는 소설을 읽고 또 한번 작은 다짐을 한다. 오늘의 평범한 우리를 그저 적어 내려간다. 오늘의 삶은 자체로 그 어떤 것과도 비교할 수 없는 '나'일 테니까 말이다. 모든 순간들이 특별하다고 여기면 그 특별함은 곧 평범함이 된다. 모두가 평범함 속에 존재하는데 비교하고 우월하다 느끼며 서로의 자존감을 깎아 먹을 이유와 필요가 있을까. 우리가 무엇인가를 좋아하고 사랑하는 원동력은 나와 우리의 '보잘것 없음'을 알아차린 이후다. 그것이 연민이든 동경이든 시작은 모두 다르겠지만 말이다. '그럴 수도 있는' 내가 되기 위해서는 먼저 보잘것 없는 존재임을 알아차려야 한다. 허무를 깨닫고 그 다음 단계로 가야 한다. 그렇게 만난 그 다음 단계에서는 모두 동일한 위치를 차지한다. 아무도 알아주지 않는 특별한 일들을 해내고 있다는 사실을. 지금은 21세기, 그리고 나의 세기다. 그것만큼은 우리 모두 동일하다.

행복의 여정이 행복이다

- 김승미 〈무중력의 사랑〉

　　결혼 준비로 바쁜 날들을 보내고 있던 때 나는 지금의 남편, 당시 남자 친구와 함께 서울에 갔다. 광화문 근처 어느 가게를 찾던 중, 우리 둘을 본 어느 방송사 피디와 작가가 인터뷰 요청을 했다. 우리는 흔쾌히 인터뷰에 응했다. 당시 〈82년생 김지영〉[11]이란 소설이 사회적으로 큰 이슈가 됐었는데 그 작품과 사회적 이슈에 대한 질문을 하려고 했다. 그들은 우리에게 혹시 이 소설을 읽었는지, 읽었다면 커플인 우리의 생각은 어떤지를 물었다. 나는 이 소설을 읽었던 상태였고 당시 우리는 결혼을 막 앞둔 커플이었는데 뭔가 신중하게 대답을 해야 할 것 같은 느낌이 들었다. 그러나 신중함은 소용없었다. 결국 평소에 생각했던 걸 이야기했다.

---

11 조남주 〈82년생 김지영〉 민음사

당시 내 머릿속을 온통 사로잡고 있었던 생각은 내 옆에 있는 이 사람과 결혼하고 싶다는 생각이었다. 결혼에 대해 이야기 하자면 이 지면이 턱없이 부족한데, 나의 결혼에 대한 생각은 한마디로 '출구'였다. 물론 이런 결론은 〈82년생 김지영 〉이란 소설을 읽고 내린 건 아니다. '나의 결혼은 출구다.' 라는 문장이 완성된 과정을 알기 위해선 나의 유년 시절까지 거슬러 올라가야 하는데 이 글을 읽는 누군가도 궁금하지 않을 것이고, 만약 궁금하다고 해서 시작하면 또 한 편의 대 서사시를 써야 하는데 그건 하지 않기로 하겠다. 내가 당시 결혼에 대해 그렇게 느꼈던 이유는 나만의 가정, 나의 안정감. 나의 사람에 대한 간절함이 아주 컸기 때문이다. 이런 나에게 소설에 대한 생각이라니, 나는 바로 대답했다.

'네 저도 그 소설을 읽었는데요, 지금 제 상황과는 달라서 저는 개인적으로 이해가 가지 않았던 부분도 있지만 어떤 사람들은 공감하며 이 이야기를 읽었을 것 같아요. 저는 결혼하면 행복할 거라고 생각하지 않아요. 그런데 결혼하지 않은 지금도 완전히 행복하다고 생각하지도 않아요. 행복이 무엇일까? 라고 찾을 때, 그 때가 행복한 것 같아요.'

다시 기억을 떠올려 당시 이야기를 적어보니 피디가 이 인터뷰를 쓰지 않은 이유를 알겠다. 피디가 원하는건 남녀의 입장차이가 확연하게 다르다는 점이었을 테고, 나와 내 남자친구가 인터뷰를 하는 과정에서 미묘하게 기싸움하는 장면을 원했을 테니까. 하지만 그렇지 못했다. 내 대답은 이상하다. 그때 나는 지금의 내 남편과 '행복이 무엇일까?'라는 주제로 아주 깊은 대화를 지속했던 때였다. 즉. 나는 행복했었다.

이런 에피소드를 포함한 내 모든 인생의 지나간 날들은 행복하기 위해 행복을 찾거나, 행복하지 않거나, 를 반복했던 날들이었다. 그리고 나는 그 행복을 찾아 오늘도 긴긴 여정을 반복하고 있다. 그건 그 자체로 행복이다. 사랑에 대해서도 마찬가지라고 생각한다. 사랑하거나 사랑하지 않거나 사랑이 무엇일까, 찾는 여정은 무한하다. 그 무한함 속에 나 자신을 툭 던져놓고 객관화시키면 어느 때는 좋은 글이 완성된다.

우리 개개인의 인생에서 다른 사람의 이야기는 어쩌면 오직 나를 위해 존재하는 이야기일 뿐이다. 포터에벗이 서사학 강의에서 말한 것처럼 시간을 통해 행위하는 활동적인 실체로써, 우리 자신에 대해 이해할 수 있는 유일한 방법은 오로지 서사를 통해서 가능하다[12]라는 결론은 한 사람이 만드는 이야기의 힘은 이미 존재하는 이야기보다 강력하고 가치있음을 나타내는 것과 같다. 나의 이야기가 사회의 다양한 논쟁과 의견, 치중된 대중에 시선과 상관없이 나만의 서사로 존재할 때 가장 의미있는 것이다. 내가 〈82년생 김지영〉을 읽고 나의 사랑을 견고하게 했던 것에는 나의 이야기가 내 삶에서 가장 중요하다는 고집을 굽히지 않았기 때문이라 생각한다. 그리고 나는 지금도 나의 서사를 억지로 변화시킬 마음이 없다. 인생이 예상하지 못한대로 흘러간다면 그대로 둘 것이다.

내가 읽은 〈무중력의 사랑〉은 나의 생각과 같았던, 바로 그런 글이다. 우리들의 모든 시절에 경험한 사랑에 관한 이야기가 바로 여기 있다. 우리들의 사랑에는 분명 논리가 있다. 사랑에 무슨 논리냐고, 혹자는 물을 수도 있겠다. 나는 그 질문에 대답할 수 있다. 누군가의 존귀한 인생이 그 증거인데 무슨 말이 더 필요할까, 라고. 이 글을 읽게 될 그 누군가도 당신의 인생으로 사랑의, 행복의 논리를 완성할 거라 믿는다. 언젠가 완성될 당신의 삶이 담

---

12 H.포터 애벗 〈서사학 강의_이야기에 대한 모든 것〉 우찬제, 이소연, 박상익, 공성수 옮김, 문학과지성사

긴 어느 때의 글을 나는 기쁘게 읽을 준비가 되어 있다.

5부

나의 꿈

- 구병모 〈상아의 문으로〉

책상에 엎드린 나는 이제 곧 다가 올 시험에 불안해하며 떨고 있다. 나의 불안은 온전히 나의 것. 다른 이들은 관심이 없다. 나에게 다가 올 시험이란 무엇인지 모른다. 나는 그저 준비가 되지 않은 상태로 불안함에 놓여 혼란의 상태 속에 머물러 있다. 익숙한 누군가가 다가온다. 분명 나를 구원해 줄 누군가다. 하지만 나는 그가 누군지 모른다. 정확히 말하면 그를 알고 싶어 눈을 뜨려 하지만 몸이 움직이지 않는다. 그렇게 살려달라, 크게 외치고 싶지만 끝내 말하지 못하다가 알 수 없는 출구에 빠져 현실로 돌아온다. 이것은 내가 오랜 시간 꽤 꾸준한 루틴으로 생생하게 꿨던 꿈의 내용이다. 언젠가 한 번은 꿈 속에서 내가 또 책상에 엎드려 있다는 사실을 인지하고 이 꿈이 어떻게 진행될 것인지도 예측하며 꿈을 즐기려 했었던 적이 있다. 하지만 언제나 '책상에 엎드린 나'를 발견하는 꿈은 괴로웠고, 언제나 그 꿈 속에서 나는 구원받지 못했다.

꿈에서 깬 나는 여전히 홀로 있다. 책상에 엎드린 상태도 아니었고 앞으로 다가 올 시험같은 것도 없다. 어떤 목적 의식을 갖고 있어서 준비 자세도 필요없다. 이런 현실은 내가 꾼 꿈과 전혀 다른 모습을 하고 있지만 언제나 홀로 있음은 같았다. 반복적으로 그 꿈을 꿀 때면 어느 곳에서 위로를 받아야 할지 모르겠다. 어디에서 왔는지 알 수 없는 구원자가 어느 날 신기루처럼 나타나는 꿈이 나를 위로할 것인지, 홀로 있어도 꿈이 아닌 현실이기에 그 사실이 나를 위로할 것인지를. 분명한 건 불안한 꿈이나 외로운 현실이나 위로를 받을 수 있는 요소는 없어보이나 나는 여전히 꿈에서도 현실에서도 안정된 정답을 찾으려 한다는 것이다. 어디에도 완벽한 정답은 없다는 걸 알면서도 말이다. 언젠가부터 나는 이 둘의 간극을 있는 그대로 두려 했다. 이것이 꿈이고, 이것이 현실이라는 경계를 허물겠다는 의지가 있었다. 불안과 외로움이 공존하는 꿈과 현실. 그 어느 곳에도 속하지 않기로 했다. 그렇게 꿈과 현실을 마주하고 받아들인 후 더이상 식은 땀을 흘리며 꿈에서 깨지 않았다. 꿈의 해석. 현실의 실질적 이유. 삶의 정답을 규정한다는 것 자체가 오만한 일이었음을 알았기 때문일까.

나는 창조주를 믿고 진리를 추구하는 삶을 고귀하다 여기면서도 언제나 의심한다. 여전히 내 꿈이 존재하며 질문하기 때문이다. 이 사유를 멈추는 건 불가능하다. 어느 날 갑자기 모든 기억을 잃는다 해도 기억을 잃은채로 펼쳐지는 꿈이 존재할 것이기 때문이다. 동물도 꿈을 꾼다는 이야기를 들어봤으나 꿈을 확장하는 것은 인간만이 할 수 있는 일. 즉 꿈의 확장성을 고려했을 때 꿈은 예술을 위한, 문학을 위한 숭고한 기능이다. 그래서 인간이 꾸는 꿈은 결국 무엇을 남기는가. 그렇게 사유하다가 사라지기 위함이다.

〈상아의 문으로〉는 잠들지 못하는 삶에 익숙해진 도시민들의 삶을 그렸다. 지금도 불면증은 현대인을 괴롭히는 하나의 질병이 됐고, 오히려 너무 많이 자거나 숙면을 취하는 삶을 비웃는 사회적인 분위기도 심심치 않게 포착되기도 한다. 이야기는 잠들지 못하는 현실을 그리면서 동시에 꿈을 꾸는 것에 대해 중요하게 다룬다. 온전하게 잠들 수 있는 현실을 꿈꾸는 이야기. 우리는 우리가 인식하거나 또는 인식하지 못한 채 언제나 꿈과 현실의 경계를 오가며 그 간극에서 사유하고 사유의 결과들을 쏟아낸다. 그 사유가 누군가의 생각과 맞닿을 땐 예술이라는 결과로 포장된다. 며칠의 시간, 또는 몇달, 몇년의 시간 동안 기억되는 꿈은 작품이 되고, 그렇지 않은 꿈들은 의미가 없는 공상으로 전락한다. 예술을 소비하는 우리 모두는 이 현실을 인지하면서도 공상이 아닌 무엇인가를 남기는 것을 목적으로 하여 꿈을 기억하기 위해 애쓴다. 그렇다면 반복된 나의 꿈은 어떨까. 예술이 될 수 있을까. 우리 사회에 필요한 의미로 자리할 수 있을까. 대부분 그렇지 못하다는 것을 인지하면서도 꿈은 스스로를 포기하지 않는다. 그렇게 반복하며 내 삶의 하나의 공상의 나락으로 존재한다. 눈을 돌리면 어디에나 이야기가 존재한다는 것은 이럴 때 사용하는 말이 아닐까 싶다. 각자의 꿈, 각자의 존재. 개인의 의미가 모두 그렇게 보이지 않고 잡히지 않는 모습으로 남는다. 그것은 우리의 꿈이 있기에 가능한 이야기다. 〈상아의 문으로〉는 경계 없고 정답 없는 신선한 문장들로 이 세계를 모호하게 한다. 구병모 작가가 만든 세계는 나의 꿈들을 모두 의심하게 했으며 지금까지의 내 꿈은 단지 꿈이 아닐 수도 있다고 생각했다. 꿈이라 지칭하는 나의 수많은 세계들이 어쩌면 진짜 세계일 수도 있고, 현실은 그저 허상에 불과하다는 생각을 가능하게 한다. 그것은 그 자체로 희망이다. 갈 곳 없고 머물 곳 없는 현대인의 삶에 작은 위로다. 잠이 드는 걸 불가능하게 하는 현실에 정면적으로 맞설 수 있게 하는 소소한 반항이다. 나의 꿈이 바로 나다.

내가 좋아하는 것은 역사가 된다

-유시민 〈역사의 역사〉

학창시절에는 모이기만 하면 진실게임이란 걸 해야만 하는 친구들이 있었다. 진실게임이란 이름에도 모순이 있는 것이 분명하다. 비밀이 있다면 그걸 꼭 게임을 통해 알 필요는 없으니까. 게임을 통해 알게 된 진실이 과연 진짜 진실인지 알 수 있는 방법 또한 없으니까. 비밀을 그렇게 쉽게 이야기할 거였으면 처음부터 비밀이라고 할 수 없으니까. 일단 진실게임이란 말을 들었을 때 떠오르는 생각 중 하나가 있다. 나는 비밀이 없고, 있다고 해도 이제는 별로 중요한 일이 아닌 일들이라는 것. 비밀이라고 말했던 누군가의 비밀도 잘 잊기 때문에 비밀이 무엇인지, 그런 것들이 내 주변에 더 이상 존재하는지 모르겠다는 것이 그렇다.

이런 나에게 진실게임을 하자고 했던 그들이 질문했던 건 고작 누구를 좋아하고 있느냐, 했던 거였다. 질문을 받은 순간 나에게서 이상한 점을 발견한다. 비밀이 없다고 생각했던 확신에서 조금 주춤해진다는 거다. 겨우 누구를 좋아한다는 마음을 말해야 한다는 것에 대해 즉각적인 답을 피하고 싶어진다는 사실. 그 때부터였다. 누군가를 좋아하는 건 누구나 비밀로 시작한다는 것을. 이유는 충분히 많다. 내가 누군가를 좋아한다는 사실은 말할수 있으나, 그 이야기가 당사자에게 전해졌을 때 그의 반응. 그의 감정을 도통 알 수 없으니 그건 분명 조심스러운 답변이 될 터였다.

나의 신중한 태도에 장난끼가 발동했던 친구들은 추궁하기 시작한다. 얘 봐라, 좋아하는 사람있구나 너. 하며 놀린다. 내 마음이 무엇인지 스스로도 정확히 알 수 없는 상태였지만 그때 나는 그 사람을 좋아하는 것 같다고 말했다. 반응은 뜨거웠다. 소문은 일파만파로 커졌고 내가 그를 좋아하는 건 기정사실이 됐다. 지금 생각하면 내가 그를 좋아해야만 했다는 게 더 정확한 표현이겠다. 내가 좋아한다는 말을 누군가를 통해 듣게 된 그도 나를 좋아해야 하는 상황에 이르렀고 나와 그는 그렇게 좋아해야 하는, 좋아하는 관계가 됐다. 그게 사귀는 사이였다고 말할 수 있는 건지 모르겠다. 그냥 친구들 사이에서 좋아하는 사이라고 불렸고 당시 나도 누군가를 좋아하고 있다고 말했으니 말이다.

그렇게 좋아하는 감정의 시작은 나에게서가 아닌 어딘가에서 시작됐다. 그리고 그 시작의 끝은 꽤 오랜 시간이 흐른 뒤에 만날 수 있었다. 누군가를, 무엇인가를 좋아하는 일은 언제나 할 수 있는 일이다. 더 자주 들여다보고 더 많이 찾고, 잊을 때 쯤이면 다시 생각나는 건 좋아하는 마음이 아닐까. 때때로 나는 사람이 아닌 다른 무언가에 좋아하는 마음을 갖기 위해 애쓰고 있다. 이를테면 역사가 나에게 그렇다.

나는 오래된 과거를 상기하지 않는다. 어쩌면 그건 습관처럼 어린 시절부터 연습했던 것 같다. 과거를 떠올린다는 건 성취할 수 없는 무엇인가를 계속 인식하고 절망하고, 슬퍼하는 등의 감정을 반복하는 일이라고 생각했다. 나는 지금도 때로 잠드는 시간에 무서움이 밀려올 때가 있는데 자고 일어나면 이 세상이 없어지면 어쩌지 하는 생각 때문이다. 과거의 날들은 기억하지 못하겠고 나는 이렇게 아무것도 기억하지 못하고 누군가 기억해주지 못한 채 사라질까 두려웠다. 이 두려움이 언제부터 시작됐는지 모르지만 종종 밀려오는 두려움이다. 그런데 이런 두려움에는 반전이 있다. 전날의 두려움이 컸을 땐 오히려 다음날 아침이 밝다. 그날은 기대감으로 하루를 시작한다. 기대감 때문인지 나는 과거를 잘 잊는다. 하지만 이는 별로 좋지 않은 일이다. 오늘의 나는 결코 오늘 하루로 완성된 내가 아니기 때문이다. 무서운 밤을 견뎠기에 오늘이 있었고 과거의 생각과 경험이 오늘날의 나를 이끌고 있기 때문이다. 오늘은 내일을 위한 나라는 걸 인식하고 있는 한 두려움보다 견딜 힘과 내일에 대한 기대가 더 크게 존재할 것이다.

역사를 좋아하지 않는다는 건 단순히 역사에 관심이 없다는 이야기가 아니다. 우리의 역사가 비극을 경험한 것이 역사를 좋아한다고 할 수 없는 큰 이유가 된다고 말하는 게 나에게 있어서 더욱 타당하다. 과거를 떠올릴수록 슬프고 잔인한 일들이 펼쳐졌다는 걸 알게 될 때면 오늘날의 평화로운 일상이 쓸쓸하게 비쳐 견디기가 힘들다. 그러나 정면으로 마주해야 한다는 걸 알고 있다. 우리의 터전이 어디에서부터 왔고, 어디로 갈 것인지에 대한 유일한 이정표가 역사라는 걸 믿고 있다. 나의 과거가 오늘날의 내가 되는 것처럼 말이다. 텔레비전에 자주 방영되는 역사 프로그램들도 유익하고 좋지만 무엇보다 개인이 통찰하는 역사를 바라보는 작업은 새로운 시각을 넓히면서 보다 큰 세상이 펼쳐지는 만족감을 선사한다. 나는 때로 이 만족감을 충족시키기 위해 회고록 등을 찾아 읽는데 그럴 때면 한 개인의 역사가 결국 한 세상의 역사임을 직감하는 순간들을 만나곤 한다.

그런 의미에서 나는 유시민 작가의 글들을 좋아한다. 유명한 평론가로서, 한때 유능했던 정치인으로서, 시대의 지식인으로서 다양한 명함으로 그를 소개할 수 있겠지만 나는 먼저 내 인생의 존경하는 한 학자로서 그의 글을 만난다. 그의 글은 언제나 우리가 공유하는 역사와 맞닿아 있어서 친근하다. 그가 역사에 대해 또 다른 관점으로 쓴 〈역사의 역사〉는 역사를 따라간 이들의 역사를 짚어 나가는 이야기다. 작가의 주관적인 감정도, 객관적인 사실도 한 권의 책으로 만나면 모든 순간에 대해 외면하지 않는 법을 익히게 되는데 나는 이 배움의 순간들이 참 좋았다. 〈역사의 역사〉 속의 '있었던 그대로의 역사, 랑케' 부분은 역사를 좋아할 수밖에 없는 당위성을 나타내기도 한다.

과거의 진실게임은 언제나 앞뒤 맥락없이 시작했다. 질문도 언제나 뻔하다. 재미없는 이 게임이 오늘날까지 지속하고 있는 이유는 근본없는 질문 끝에 터무니없이 뱉은 대답이라 할지라도 그 답변은 언젠가 쓸모가 생긴다는 사실 때문이 아닐까. 역사의 한 그늘을 개인의 진실게임을 통해 듣는다면 그것은 얼마만큼 신뢰할 수 있을까. 과연 역사란 그렇게 진실게임과 같은 방법으로 들여다 볼 수 있는 문제인가. 그럴 수 없다. 그러나 개개인의 터무니없는 질문과 답변 또한 필요하다. 개인의 역사가 모인 곳이 시대의 역사가 되기 때문이다. 역사를 좋아하는, 좋아해야 한다는 나의 솔직한 감상은 앞으로 나의 역사 또한 지속하겠다는 다짐과 같다. 과거를 상기하는 것이 두렵고 버거운 일이라고 할지라도 그 아픔을 알아가는 노력이 곧 현실의 칼날에서 막아 줄 든든한 방패라는 사실을 믿기 때문이다. 내가 오늘 좋아한다고 고백했던 사람들과 물건들, 공간과 공기를 다시한 번 떠올린다. 과거가 되어 역사가 될 오늘을 기억한다.

유일한 세상의 도피와 무한한 여행지
- 유시민 〈청춘의 독서〉

코로나 확진자의 격리기간은 2주. 무척이나 당연한 처사가 됐다. 홈쇼핑은 한 달에 한 번 이상 마스크 방송을 하고 연예인들은 마스크도 패션이라는 슬로건을 들고 나와 광고 모델이 된다. 이 또한 익숙한 장면들이다. 자가 검사 키트, 손소독제 등은 생활필수품이 됐고 로켓 배송이 가능한 스마트폰 장바구니 안에는 언제나 그것들이 쌓여있다. 결제만 하면 다음날 아침 도착해 있다. 우리들의 일상은 이렇다. 이런 일상을 벗어나고 싶다고 하면서도 어느새 이런 일상을 누리고 있다. 일상은 익숙함이 되어 내 삶을 지배하고 그러다 어느 날 문득 코로나를 벗어난다고 해서 행복해질까 의문이 생기기도 한다.

사실 코로나로 인해 나에 대해 알게 된 것이 있다. 스트레스 해소법이다. 코로나가 있기 전에는 일 년에 한 번 이상 여행을 떠나곤 했다. 당시 나의 여행은 조금 특별했다. 언제나 여행만큼은 어떤 방해도, 누구의 간섭도 받고 싶지 않았고 여행지에서는 나답다고 생각한 모든 것을 버리고 싶었다. 그래서 여행하는 동안에 나는 내 모습이 아니었다. 사람들과의 연락도 피했고 즉흥적으로 가고 싶은 곳을 정했고 다이어트 따위 생각하지 않고 먹고 싶은 것들을 먹었으며 어제까지 습관처럼 했던 일들을 과 감히 버렸다. 이런 나의 모습에 적잖이 당황했던 건 남편 이었다. 한 달간의 신혼여행지에서 6년이라는 연애 기간 동안 봐 왔던 내 모습과 전혀 다른 모습을 만났다고 했다. 그는 여행기간 중 자주 답답함을 느꼈고 나에게 기대 했던 바가 여행에서는 잘 실현되지 않는 걸 경험한 후 나 를 설득하기에 앞서 일단 포기할 건 포기해야 한다는 방 법을 배웠다. 여행을 통해 나는 내 모습을 벗어남으로써 잠시 나를 잊음으로써 그렇게 일 년을 살아갈 원동력을 찾곤 했다. 다른 사람들을 이렇게 곤란에 빠트리면서까 지 말이다. 그런데 코로나가 이를 다 망쳐 놨다.

코로나 때문에 물리적으로 여행을 갈 수 없게 된 건 물론이고 가고 싶은 마음도 사라졌다. 여행을 떠나지 못하게 된 내가 어쩔 수 없이 선택한 건 집에 있는 시간을 늘리는 것이었다. 집에 있는 동안 더 많은 책을 통해, 더 깊은 독서를 통해 세상의 생각을 잊으려 했다. 책 속의 인물들을 만나는 시간들이 길어지면서 자연스럽게 사람들과의 만남을 정리했다. 어쨌든 책 속에서는 갈등이든 위기든 페이지를 넘기면 결론에 이르는데 이 세상의 일들은 언제나 결론을 내리기가 힘들다. 갈등과 위기는 너무 오랜 시간 지속되고 다시 반복되기도 한다. 이런 세상에서 내가 할 수 있는 것이라고는 비겁하지만 피하는 것. 어디든 도망가는 것. 그것이 여행이었다. 그러나 이를 할 수 없으니 이젠 책 속으로 도피다. 책 속에서 나는 언제든 위로를 받고 진정한 친구를 만나고 공감하고 마음을 터놓는다. 나의 나 된 모습이 아닌 여행. 결국 그 가운데에서 진짜 나를 발견했던 여행. 바로 그 여행은 이전보다는 더 깊은 독서라는 이름이 됐다.

나는 가끔 나와 같은 생각을 하는 사람들이 있는지 궁금하다. 그들의 외로움도 나와 같은 모양인지 궁금하다. 사실 그건 외로움이라 표현하기는 좀 그런데 (MBTI는 말한다. 나는 외로움을 느끼지 않는 사람이라고.) 삶을 달래는 일을 책에서 발견하고 공감하는 것만으로도 충분하기 때문이다. 자발적인 고립. 외로움이라 말하기엔 부족함이 있지만 외로움이라는 말 외에 설명할 길이 없는 나의 유일한 도피. 독서. 이런 맥락에서 문학작품을 읽고 난 후 꽤 진지하게 살피는 글이 있다. 평론가, 독서가들의 후기인데 나는 때로 그들의 다양한 해석이 소설보다 더 재밌게 다가올 때가 있다. (대학시절에도 비평 수업을 가장 좋아했다.) 하나의 이야기로 더 많은 이야기가 탄생하는 지점. 예술의 무한한 세계가 다시 시작되는 지점. 나는 이 지점을 사랑한다. 다른 이들의 독후감과 평론을 읽는 이유다. 〈청춘의 독서〉를 펼친 이유는 이것으로 충분했다. 이상한 나의 세상. 내가 이상한 건지 세상이 이상한 건지 아무튼 이상함으로 온통 엉켜있는 세상에서 우리들의 독서는 비교적 질서를 만들어준다. 〈청춘의 독서〉의 글들도 그러했다.

독서는 여행이 되고 세상의 도피가 되며 나의 이상함과 외로움을 공감해 주는 누군가가 존재한다는 사실을 알게 해주는 유일한 수단이다. 그래서 나는 계속해서 이상한 사람으로 남을 것이며 이런 여행을 핑계 삼아 고립을 택할 것이다. 함께 글을 읽는 사람들의 목소리는 그들이 남긴 글을 통해 들을 것이다. 유시민 작가도 나와 비숫한 생각이었지 않을까 감히 생각해본다. '정치를 다시 할 생각이 없느냐, 다시 해야만 한다. 지식인은 그래야만 한다'라는 사람들의 질문과 권유에 그는 언제나 자신이 지금 해야 할 일들을 생각했고 책 속에서 답을 생각해 냈다. 책 속에서 존재하는 나는 비로소 자유롭고 더욱 나답다. 진정한 친구, 밀고 당기기가 필요 없는 관계들이 의심 없이 나에게 다가온다. 그가 굳이 다른 일을 하지 않아도 되는 이유는 이것이며 독서가 아닌 다른 일들을 한다고 해도 아무런 문제가 되지 않는 이유다.

외로운 밤이다

- 마르그리트 뒤라스, 장-뤽 고다르
〈뒤라스와 고다르의 대화〉

즐겨 보는 프로그램 알쓸인잡에서 이상 시인에 관한 이야기가 나왔다.[13] 채널을 돌리다가 패널 중 김상욱 교수가 이상에 대해 이야기를 하고 있길래 나도 모르게 리모컨을 내려놨다. (개인적으로 알쓸인잡에 나오는 엠시와 패널들의 팬인데 맞는 말만 하는 그분들의 언변에 고개를 끄덕이다가도 나라면 이렇게 생각할 것 같은데⋯하며 나만의 시청방법을 만들어가고 있다. 이상하고도 재밌는 프로그램이다. 알쓸인잡은 개인적으로 알쓸 시리즈 중 가장 재밌게 보고 있다.) 리모컨을 내려놓으며 나는 딱 이렇게 말했다. '물리학자가 이상을 왜? 이상한 이상을 왜?'

사실 나는 이상을 잘 모른다. 고등학교 시절 학교에서

---

13 〈알쓸인잡〉 tvN 230120 방송

배운 게 전부이고 대학에 올라와 깊게 공부할 수 있는 기회가 있었지만 나는 이상의 시가 시인지 그림인지, 의미하는 바를 의미하면 그 의미는 소용이 있는 건지, 단지 나의 망상이 이렇습니다, 하고 그냥 공개적으로 이야기한 꼴이 아닐까 싶어 늘 피했다. 피했던 탓에 이상에 대해 아는 것이라곤 정말 하나 없었다.

당시 최고의 지식인 중 하나였던 이상이 자신의 시에 과학을, 우주를, 상대성이론을 담았다는 김상욱 교수의 해석이 나는 놀라울 수밖에 없었다. 이상을 몰랐기에 더 깨끗한 백지상태에서 그 의견을 받아들였기 때문이다. 결과적으로 이상은 이상한 것이 맞았고, 시대를 너무, 너무도 앞서갔기에 오히려 그에게 세상이 이상하고 너무도 작았다. 이상에게는 유한한 시간이 있었다. 암울한 시대가 있었고 이해되지 않는 제도와 현실이 있었다. 이상이 아무리 생각해도 세상은 이게 전부가 아니었던 거다. 그가 바라본 세상이 오히려 온통 이상하기만 할 뿐이어서 그는 다양한 해석이 가능한 시를 남길 수밖에 없었던 거다. 김상욱 교수의 설명을 듣고 아직도 이상을 이상하다 생각했던 나의 편협한 가치관에 잠시 훈수를 두었고 나는 그렇게 반성했다.

이상을 그렇게 만났을 무렵 마침 나는 〈뒤라스와 고다르의 대화〉를 읽고 있었는데 (이 시리즈를 추천하자면 앞서 시몬 베유의 중력과 은총, 카프카의 아포리즘을 재밌게 읽었다.) 그들의 세 번째 이야기가 시작될 무렵 나는 이상이 이 두 사람 사이에 끼어서 이야기를 한다고 해도 전혀 어색하지 않았을 것 같았다. 불안한 시대에 외로운 지식인, 시대를 앞서가 홀로 남겨진 이들. 지금 돌아보면 그들이 없었다면 어떤 영화도 시도 탄생할 수 없었다고 해도 과언이 아니었을 존재들. 나는 그들이 홀로 세상에 남겨져 얼마나 괴로워했을지 감히 짐작했다. 그리고 눈물을 조금 흘렸다.

〈뒤라스와 고다르의 대화〉는 딱 세 번으로 이뤄진다. 그 두 사람의 대화 이면의 영화나 영화 산업의 환경을 친절한 주석과 함께 읽다 보면 시간이 가는 줄 모른다. 무엇보다 그들의 대화가 재밌던 이유는 그들은 서로에게 소위 말해 기싸움이라던가 조금 더 아는 지식을 경쟁하는 등. 저렴한 대화를 나누지 않았다. 프랑스 농담과 키에르케고르에서 사르트르에 이르기까지 철학을 관통하는 평범한 의미들을 찾고자 했는데 그 대화의 여정은 모두 아름다웠다.

오래전 이들의 대화는 그 때 그시절을 담아내는데, 이들의 대화를 따라가다보면 현재 우리 사회에서 문제시되고 있는 이슈들이 등장한다는 점을 발견한다. 여성에 대하여, 포기하는 영화들에 대하여, 도래하는 역사에 대하여, 평범한 글쓰기에 대하여 내가 정리한 바는 대략 이렇다. 나는 이 모든 것들을 이야기 하기에는 당시 상황이 그들에겐 비좁지 않았을까 상상했다. 아마 이 두 사람도 이야기를 이어나가며 이야기에 결말과 같은 매듭은 기대하지 않았던 것으로 보인다. 그들의 이야기는 그렇게 존재했을 뿐이다.

요즘 우리는 생산적인 대화, 필요한 말, 돈이 되는 일에 집착을 한다. 적어도 내 주변은 그렇다. 그것이 꼭 필요할까? 나는 가끔 생각한다. 뒤라스의 소용없는 말들이 오늘날 가장 필요한 철학이라는 걸 생각하면 나는 지금 필요한 말을 하고 있는 중인가, 하는 생각이 든다. 시대를 앞서간다는 거. '우와!' 멋진 일이 아니다. 외로운 일이다. 개인의 삶으론 끝없는 외면을 견디는 일이다. 그럼에도 해야지. 누군가는 이상처럼, 뒤라스와 고다르처럼 쓰고 대화하고 증언해야지. 바란다면 나도 그런 존재가 내 곁에 있었으면 좋겠다. 그렇기만 하다면, 그런 존재가 어딘가에 있다면 세기에 남는 일은 하지 못할지라도 내 생이 조금은 괜찮구나 싶은 생각이 들 것 같다. 그렇다. 나는 시대를 앞서가지도 못하고 있으면서…. 그저 외로운 밤이다.

대부분의 우리는 언제나 위대하다
- CS루이스 〈책 읽는 삶〉

'아니에요 회원님 너무 잘하고 계세요. 너무 잘하고 있고 지금처럼만 하면 되고, 조금 더 쉬어가면서 해도 괜찮아요.'

어제밤 나의 필라테스 선생님께 들었던 말이다. 일주일에 세 번 나는 그녀를 만난다. 처음에 나는 그저 많은 회원들 중에 한 사람이었다. 유연성과 근력이라고는 전혀 없는 총체적 난국 체력의 문제적 회원이었다. 다이어트 등 특수한 목적을 떠나 일단 살아야겠다는 심정으로 필라테스를 하게 됐는데 생각보다 빠르게 몸의 변화가 눈으로 보여 약 2년 정도 꾸준히 수업을 듣고 있다. 책을 읽는 것도, 운동을 하는 것도 세상사 무엇이든 일단 꾸준함 없이는 시간 낭비일 뿐이라는 생각에 처음에 운동을 시작할 땐, 진짜 죽이 되든 밥이 되든 6개월은 무조건, 무조건 운동하자! 마음먹었다. 진짜 쉽지 않았다.

운동을 가기 전에는 언제나 핑계가 생겼다. 약속이 있었고 너무 피곤했고, 생리를 했었고, 엄마가 보고 싶었고, 고동이가 가지 말라고 했고. 그 외에도 수만 가지였다. 어쨌든 나는 나 자신과의 약속을 지키기 위해 노력했고 이번만큼은 잘 지켰다고 자부하는데 그렇게 할 수 있었던 이유는 필라테스 선생님의 성실함에 늘 백기를 들었기 때문이다. 그녀는 언제나 어느 때나 같은 자리에서 최선을 다한다. 나는 그녀의 이름도 모르고 나이도 모르며 그녀가 마스크를 벗은 모습도 보지 못했다. 하지만 나는 그녀를 잘 알고 있다고 생각한다. 언제나 성실함으로 자신의 일에 최선을 다하는 사람. 이보다 더 큰 칭찬이 어디 있을까.

내가 성실함을 인간의 성품 중 가장 멋진 요소라고 생각하게 된 계기가 있다. 나의 할아버지가 이제 곧 돌아가실 것 같다는 소식을 들었던 날이다. 나는 하던 일을 멈추고 할아버지가 있는 병원으로 갔다. 다음 주 방송 준비도 하지 못하고 급하게 병원을 찾은 나는 할아버지의 마지막 순간에 대해 공허함을 느끼면서도 다 끝내지 못하고 온 현실의 일들에 대한 걱정이 공존했다. '할아버지는 이 세상의 일을 다 끝내고 세상을 떠나시는 걸까? 떠나는 마당에 끝내지 못하면 또 어떤가, 내가 아니면 누군가가 또 할텐데. 할아버지가 내 곁을 떠나는 이 순간에 나는 너무 속물적인 생각을 하고 있는 게 아닌가.' 이런 생각들로 머릿속이 복잡했다. 할아버지가 떠난 후 며칠 뒤 나는 일상으로 복귀했고 누군가가 사라지고난 세상치고 변한 건 아무것도 없었다. 나는 여전히 방송 원고를 준비하고 고동이랑 산책을 했다. 필라테스 수업은 열려있었다.

일상으로 복귀한 후 선생님을 다시 만났다. 여전히 그녀는 최선을 다하고 있었다. 같은 가방을 메고 같은 옷을 입고 같은 자리에서. 누군가가 떠난 세상에서도 그녀는 성실했다. 나와 그녀는 그렇게 살아가는 걸 반복하고 있었다. 그녀가 그녀의 자리를 지켜주고 있었기 때문에 나는 현실로의 복귀가 빠를 수 있었다. 누군가가 사라졌다는 생각 속에서 빠져나와 누구든 살아지고, 또 언제든 사라질 수 있다는 걸 받아들였다. 사라지기 전까지 우리는 그저 성실하다가 누군가가 또 그 성실을 연장하고 그렇게 또 사라지고를 반복하는 게 지금 내가 살고 있는 이

곳이라는 걸 생각했다. 놀라운 건 바로 이 성실함이 우리를 살게 한다는 거다. 과거의 우리, 미래의 우리가 아닌, 바로 오늘의 우리가 사는 원동력은 서로의 성실함이다.

내가 반복하고 있는, 내가 좋아하는 이 일이 오늘날 누군가를 살게 한다. 방송원고를 준비하며 때로는 같은 말을 반복하는 게 아닐까, 하는 회의감이 들 때쯤. 한 청취자의 문자가 나를 위로했다. 오늘도 똑같은 길을 출근했다는 일상의 소식. 반복은 힘이 있다. 성실함은 위대하다. 비록 내일 사라질 수도 있는 우리 모두는 연약한 존재지만 오늘날 서로의 성실함을 보고 듣고 느끼며 강해진다. 지금 이 순간도 어딘가에서 자신의 존재를 무기력하게 생각하거나 자신의 일을 보잘것없이 느끼는 누군가가 있다면 그건 결코 아니라고 말해주고 싶다. 내가 당신의 그 성실함으로 오늘도 살 수 있었다.

C.S루이스의 책을 읽었던 건 대학생 때였다. 〈순전한 기독교〉[14]와 〈스크루테이프의 편지〉[15] 였다. 이 책들은 특정 종교에서 논증적으로 신을 증명하거나 우리의 종교가 필요한 이유에 대해 인간의 이성으로 이해될 만큼 설득력을 갖춘 글이라고 평가받는다. 이런 이유로 신의 존재

14 C.S 루이스 〈순전한 기독교〉 임종성 옮김, 홍성사
15 C.S 루이스 〈스크루테이프의 편지〉 김선형 옮김, 홍성사

를 믿지 않거나 의심하거나 관심이 없거나 하는 모든 사람들에게 권하는 책이기도 하다. 문장은 간결하지만 주장은 설득력이 있고 보이지 않는 영역을 보이게 만든 느낌이 들기도 한다. 물론 놀라운 작가의 필력 때문이라고 할 수도 있겠지만 종교를 떠나 나는 그의 글이 설득력이 있고 힘이 있으며 능력이 있는 이유는 따로 존재한다고 생각한다. 다름아닌 성실함.

삶이란 무엇인가, 신은 어디에 있는가, 나는 지금 어떤 본질을 찾고자 하는가. 하는 끊임없는 탐구와 글쓰기가 그의 작품에 힘을 실어주고 있다고 생각한다. 그의 글은 평범한 대학생이었던 나의 일상에 힘이 돼 주었고, 나의 반복적인 일상이 가치 있고 의미 있는 일임을 알게 해 주었다. 나는 그 어떤 불안과 욕심, 오만이 없어도 오늘 내가 해야 할 일을 하는 일이 가장 숭고한 일임을 알게 했다. 그것은 또 다시 말하면 아무것도 아닌 일이고 그렇기에 위대한 일이다.

나의 흑역사

- 황인찬 〈읽는 슬픔 말하는 사랑〉

고삼 수능이 끝난 이후의 시간들은 다시 떠올리고 싶지 않다. 흔히 말하는 흑역사가 이런 것인가 싶다. 그 시절에 나는 몇가지 굴직한 절망들을 경험하고 견뎠다. 원하는 대학에 들어가지 못할 성적표를 받았다는 것. 처음 사귄 남자친구와 헤어졌다는 것. 가장 못생긴 모습으로 고등학교 졸업식 꽃다발을 들고 사진을 찍었다는 것. 뭐 이런 것들이다. 그 시절을 다시 떠올리면 '그럴 수도 있지 뭐.' 지금은 당시 일들에게서 조금 쿨해졌지만 당시 나는 스스로 아무 쓸모없는 사람이라고 느꼈다. 나는 온종일 내가 만든 방 안에, 그리고 실제 물리적인 내 방에 자발적으로 갇혀 지냈다.

지금은 아무도 믿지 않지만 나는 한때 개그우먼이 되

고 싶었다. (지금도 나는 개그맨, 개그우먼들을 좋아하고 때론 존경한다. 이들에 관해 언젠가 긴 이야기를 하게 될 거라 생각한다.) 다른 사람을 웃게 하는 일이 좋았기 때문인데 실제로 가족들 앞에서 유명인의 성대모사를 하거나 친구의 생일파티에 가면 누가 시키지 않아도 앞에 나서서 마이크를 잡고 사회를 보고 노래를 했다. 나의 존재가 누군가에게 웃음을 주는구나라는 기쁨에 그런 꿈을 꿨던 것 같다. 어린시절에도 어떻게든 무엇이든 살아있음을 느끼는 것이 중요했던 나였다. 그랬던 내가 고삼시절 휘몰아친 흑역사들을 뒤로하고 전혀 다른 사람이 됐다. 다른 사람을 통해 내 존재를 확인하려 하지 말자. 먼저 내가 누구인지 스스로 알자. 이 주문을 혼잣말로 반복하고 또 반복했다. 그 반복되는 질문은 내 표정을 어둡게 했고 관계를 복잡하게 했으며 나의 순수하고 밝았던 어린시절을 단절시켰다. 나는 외로웠다.

시간을 되돌려 과거로 돌아가는 일은 영화에서나 있는 일이지만 만약에 그런 일이 나에게 일어난다면, 꿈에서라도 현실처럼 펼쳐진다면 나는 황인찬 시인의 산문 〈읽는 슬픔, 말하는 사랑〉을 들고 못생기고 외로웠던 그 시절의 나에게로 갈 것이다. 만약 그 때의 내가 이 책을

196

읽었더라면 덜 울고 조금 더 일찍 외로웠던 그 방에서 세상으로 나왔을 것 같기 때문이다. 그 때의 내가 이 책을 읽었더라면 웃음을 되찾은 것은 물론이고 꼭 대학에 가지 않고 무작정 상경해 개그우먼 시험을 보겠다고 오디션을 봤을지도 모르겠다. 그 때의 내가 이 시들을 알았더라면, 이 대화들을 들었더라면 말이다.

과거의 나로 돌아가 책을 건네고 싶을 만큼 따뜻한 위로와 다정한 언어들이 담겨있는 이 책은 아름다운 한국 현대 시들과 함께 엮여 있어 감상을 더욱 풍요롭게 한다. 어느새 어른이 되어버린 나. 그렇다면 이 책은 더이상 나에게 쓸모가 없는 걸까. 그렇지 않다. 홀로 있을 땐 여전히 어린아이와 같은 나에게, 우리 모두에게 시의 유효기간은 언제나 정해진 바가 없다. 지금도 어딘가에서 흑역사를 견디고 있는 누군가에게, 어른의 모습을 한 어린 마음들에게 나는 진심을 담아 오늘 내가 읽은 시인의 산문을 안겨주고 싶다. 위로가 전해지기를 외롭지 않기를.

당신은 그토록 완벽한가요?

- 레이먼드 카버 〈누가 이 침대를 쓰고 있었든〉

　　코로나가 있기 전, 나에게는 영화를 같이 보던 선배가
있었다. 몇 번은 선배의 취향에 따라, 또 몇 번은 나의 취
향에 따라 영화를 본 뒤 우리는 남은 팝콘을 먹으며 극장
앞에서 이야기를 하다가 헤어지곤 했다. 그러던 어느날
코로나로 동네 극장이 잠시 문을 닫았고 나는 그 이후 그
선배와 함께 영화를 보지 못했다. 다시 극장에 갈 수 있
는 상황이 됐지만 나는 그녀에게 연락하지 않았다. 그녀
는 내가 아직도 코로나를 핑계로 연락하지 않는 것이라
생각할 수도 있다. 영화관에 함께 가지 못하는 이유를 그
녀에게 말하지 않았으니까. 영화에 대한 당신의 비난을
내가 감당하기 어려웠다는 그 이유를.

　　그녀는 영화를 무척이나 좋아했다. 대한민국의 영화

가 이렇게 발전했어? 하며 보는 영화를 좋아했다. 헐리우드 영화를 보며 기술이 많이 발전했네,라고 하거나 홍상수 영화를 보면서 또 뻔한 이야기를 영화로 만들었다며 어디가 뻔했는지 구체적인 설명 없이 아낌없는 평가와 비난을 쏟아내곤 했다. 나는 오히려 그녀의 모습이 신기했다. 나는 그녀의 주장이 강할수록 나의 이야기를 할 수 없었다. 목소리가 큰 게 이기는 거였다. 크게 웃고 크게 비난하면 그게 곧 맞는 말이 되었다. 언제나 '내 말이 맞지?'라는 마지막 질문까지 던지면 그녀의 영화 평은 그것으로 완성됐다.

그녀와 영화를 함께 보는 건 더이상 할 수 없겠다, 싶은 순간은 자주 찾아왔지만 나는 쉽게 이야기하지 못했다. 집으로 돌아와 내 일기장에 혼자만의 감상을 적었을 뿐이었다. 그녀와 이야기를 하며 고개를 끄덕였던 나의 소심한 모습을 후회하면서 말이다. 나는 그렇게 생각하지 않았다. 언제나 내가 선택한 영화와 그녀가 선택해 본 영화들은 제 각각의 다른 모양으로 가치있었다.

영화에 대한 시선이 매번 달랐기에 그녀와 영화를 함께 본다는 건 더 이상 불가능한 일이었다. 코로나가 마침 내 유행이었고 합리적인 이유로 극장에 가지 않아도 됐기에 우리의 만남은 그렇게 끝났다. 그런데 문제는 지금부터였다. 코로나가 있어도 영화가 아니어도 목소리가 큰 게 이기는 그 원리는 어디에나 있다는 걸 발견했다. 내가 좀 글을 써 봤는데, 내가 좀 음악을 아는데, 내가 경력이 얼마나 되는데 하는 자존심은 세상을 살아가는 누군가의 방법이다. 문제는 스스로의 자존심을 세우려다가 나이가 어리다는 이유로, 경력이 적다는 이유로, 그 영화를 아직 보지 않았다는 이유로 상대방의 자존심을 건드리는 말과 행동을 하는 경우다. 당장에는 자존심의 크기만큼 목소리가 큰 누군가가 승리하는 것처럼 보일지 모르지만 그렇게 승리한 이들은 누구나 피하고 싶은 사람이 될 뿐이다.

사랑과 마찬가지로 존중을 실천할 수 있는 사람은 존중을 받아 본 사람이라고 한다. 스스로 존중할 줄 알고 존중 받는 삶이라는 걸 증명할 수 있는 기회는 생각보다 아주 짧다. 긴장이 잠시 풀어진 아주 짧은 틈에서 단 한마디로 전달된다. 일상에서 그렇게 뱉은 한마디가 쌓이면 그것은 곧 그 사람이 된다. 존중하는 사람. 존중받는 사람. 다행히 내 주변엔 이런 사람들이 대부분이다. 내 주변 사람들의 언어에는 진심어린 격려와 사랑이 늘 베어 있다. 저마다 다른 모양의 존중은 곧 그 사람 안에 쌓인 에너지 만큼 쏟아진다.

〈대성당〉[16]이라는 장편으로 유명한 레이번드 카버. 그의 단편 소설집을 읽으며 나는 카버가 세상을 존중하고 있다는 걸 알 수 있었다. 소설의 단면들이 현실 같아서 나도 모르게 위키백과에서 인물의 이름들을 검색해보거나 비슷한 사건을 찾아보기도 했다. 결과적으로 소설은 허구였다. 그럼 카버는 왜 현실과 같은 소설을 썼을까. 조금 더 소설 같아도 되는데 말이다. 나는 그가 다양한 존중의 모양을 쓰고 싶었으리라 생각했다. '내 자존심 여기 있어요 건드리지 마세요!' 이렇게 소리치지 않고 '나는 지금 침묵하지만 결코 사라지지 않아요.' 라고 마음 속으로 외치는 사람들을 위한 이야기. 카버의 따뜻함과 냉철한 시선이 나에게 위로와 담대함으로 전달되었다. 그러므로 완벽한 당신이여, 꼭 이 글을 펼치시길 바랍니다.

16 레이먼드 카버 〈대성당〉 김연수 옮김, 문학동네

6부

나에게는 나에게의 용기가 필요하다
- 황선우 〈사랑한다고 말할 용기〉

　'모두의 본질이 껍데기에 머무르지 않는다는 합의를 공유한 채 각자의 지향점을 향해 노력과 시간과 에너지를 쏟을 때, 우리는 아주 멀리까지 갈 수 있을 거라 믿는다.' 황선우 작가의 말이다. 지향점과 목표, 목적의식과 아주 먼 미래에 있는 가치는 누구나 한번쯤 추구해봤을 선망의 어느 지점이다. 그곳에 다다르기 위해 우리는 똑같은 일을 성실히 해내고 그 과정에서는 서로를 질투하고 시기하기도 한다. 나를 소개하기 위한 한 줄을 위해 아주 어린 시절부터 많은 돈을 쏟는다. 그 지향점은 처음에는 한 개인의 목적이 되었다가 언젠가는 그 인생에 동참하게 된 인생까지 목적을 공유하는 엄청난 일을 경험할 때도 있다. 그들은 함께하는 과정의 순간에서 배신과 탈선의 뼈아픈 경험을 기꺼이 감당한다. 우리는 이모든 과정을 그야말로 인내하는데, 그 오래참음에 대한 잘못된 부분을 알아차리지 못한다. 목적이 있기 때문에 얼마든지 감당할 수 있는 일이라고 치부해버린다. 그래서 우리는 달린다. 그곳에 다다를 때까지 각자의 에너지가 바닥을 드러낼 때까지, 서로를 채찍질해도 멀리 가기만 하면 된다는 수단을 방관하는 잘못을 저지르면서까지. 그렇게 목적지에 도착한다. 무엇이 남는가. 허무다.

내 곁에는 6개월 이상을 버티지 못하고 자주 일을 그만두는 친구가 있다. 나이가 서른이 훌쩍 넘었는데 아직도 '좋아하는 일'을 찾아 헤매는 친구는 나를 보며 자주 부럽다고 말한다. 나는 좋아하는 일을 하고 있는 것처럼 보이기 때문이라고 한다. (나에게 있어서 글을 쓴다는 일은 기쁜 일이다. 기쁜 만큼 슬픔을 안겨다주는 일이기도 하다.) 잊을만 하면 뉴스에서는 취업난에 고용난이라고 하지만 막상 취직하려는 친구들 이야기를 들어보면 취직하고 싶은 마음이 없는 것 같고, 선배들 이야기를 들어보면 뽑을 인물이 없다고 한다. 뉴스에서 전해준 사회적인 이슈가 얼마나 심각한지에 대해서는 언제나 동의하는데, 10년째 동의만 할 뿐 정말 조금은 나아진 세상이 됐는가에 의문을 갖는다. 내가 사는 세상에서는 대책이란 하나도 없으니 어디서부터 잘못된 건지 속단할 수도 없는 노릇이다.

'좋아하는 것'을 찾아 헤매는 친구에게서 연락이 뜸해질 무렵 나는 방송 프로그램을 3개나 맡게 됐다. 당시에 나는 주말 없이, 밤낮없이, 점심시간도 없이 일만 했다. 돈은 조금 벌었으나 나만의 시간이 없었기에 기회비용을 생각한다면 큰돈이라고 하기에도 민망하다. 일을 좀 줄여야지, 이제 운동을 다시 시작해야지라고 생각할 무렵 친구에게서 전화가 왔다. 좋아하는 일을 찾았다는 소식이다. 좋아하는 일은 육아였다. 친구에게 물었다. '어린이집? 취직하니?' 그게 아니라 친구는 임신을 했다. 임신으로 결혼까지 속전속결. 나는 그렇게 청접장을 받았다.

사랑에 빠진 내 친구는 자신이 좋아하는 건 가족이 생기는 거라고 했다. 온전한 우리 가족이 생기는 일. 걱정도 되지만 생각만으로도 행복한 일이라고 했다. 갑작스럽지만 천진난만하게 이야기하는 친구의 모습에 나도 덩달아 기분이 좋았다. 아니, 기분이 좋아야 할 것 같았다.

인생은 이상하다. 진짜 잘하고 싶은 일은 잘 안되고 진짜 되고 싶은 건 저 멀리 있다. 정말 마음을 나누고 싶은 사람은 영 마음을 열지 않고 곁에 없었으면 하는 사람은 언제나 내 주변에 있다. 우리는 그런 이야기를 많이 했다. 친구도 목숨을 다해 사랑할 누군가를 만나고 싶다고 말이다. 그러나 이 마음을 잠깐 내려놓고 욕심을 저 멀리 놓아두니 그제야 무엇인가 찾아왔다. 사랑도 인연도 내가 꿈꾸는 일들도. 돌아보니 나 역시 그렇다.

나는 단단한 사람은 아니지만 지속성은 꽤 좋다. 다른 누군가의 말들에 상처를 받는 듯 보여도 결국엔 내가 하고 싶은 일을 한다. 어떻게든 그 일을 하기 위해 주변 사람들을 괴롭히곤 하는데 (내가 좋아하는 사람들에게 꽤 자주 힘들다고 호소한다. 체력적으로나 정신적으로 그렇게 의지한다.) 그럼에도 내 곁에 있어준 친구들과 가족들이 고맙다. 나는 그들의 도움으로 삶을 지속 중이다. 나는 어떤 방법으로든 나의 삶을 지속했고, 결혼한 그 친구는 간절함의 화살표를 다른 곳으로 돌렸다. 우리는 각자의 방법으로 삶이 흘러가도록 내버려뒀다. 무엇이 더 나은 삶, 잘 사는 삶이라고 단언할 수 있을까. 판단할 수 없다. 모두가 흘러가는 삶을 산다는 건 동일하다.

다만 허무로 가는 결론은 모두 다를 수 있다. 순간의 과정을 바라보는 지혜가 필요한 지점이 바로 여기에 있다. 세상을 조금 더 다르게 살아보고 싶다는 나의 욕심은 용기의 화살표가 세상에 있을 땐 단 하나도 이뤄지지 않는 것 같았다. 내가 나에게 용기를, 일단 도움닫기를 해보려는 그 용기가 내 마음속에 있을 때 살아 움직였다. 과정에서 필요한 용기의 화살표는 저마다의 다른 모습으로 필요하다. 그 결과는 욕심의 성취가 아닌 용기로부터 온 결실이다. 그러므로 언제나 지금이라는 시간은 화살표를 점검할 때다.

어쩔 수 없는 일은 없다
-황정은 〈일기〉

　황정은 작가를 만난 적이 있다. 황정은의 소설 〈백의 그림자〉가 출간된 이후 책이 많은 사람들에게 사랑을 받고 있었을 무렵이었다. 우리 학교의 문학포럼이었다. 지금의 황정은 작가는 다양한 매체에서 독자들과 활발하게 소통하고 있고 대한민국에 없어서는 안될 작가가 됐지만 당시만 해도 황정은 작가하면 나만 알고 싶은 작가였다. '나만 아는 소설가인 황정은 작가를 만날 수 있다니! 백의 그림자를 쓴 작가를 만날 수 있다니!' 이런 마음으로 포럼을 기대했던 기억이 있다. 당시 황정은 작가는 모자와 목도리로 얼굴을 감싸고 아주 작은 목소리로 자신의 이야기를 천천히 전했다. 나는 그 모습도 그녀의 글과 무척 닮았다고 생각했었다. 너무 오래전이라 포럼의 내용을 모두 기억하지는 않아도 이것만큼은 또렷하게 기억난다. 학과장님이 말했다. '황정은 작가님, 마지막으로 우리 독자들, 학생들에게 하고 싶은 이야기가 있을까요.' 황정은 작가가 말했다. '진심으로 하는 이야기는 언제나 이쁜 인 것 같아요. 꼭 건강하세요.'

며칠 전 황정은 작가의 에세이집을 선물 받았다. 내가 그녀의 소설을 좋아한다는 걸 알았던 친구가 몰래 내 가방에 넣어주고 간 책이다. 황정은 작가의 수줍은 목소리처럼 친구의 조심스러운 정성이 좋았던 순간이었다. 〈일기〉를 읽는 동안 친구에 대해 더욱 고마움이 느껴졌다. 황정은의 소설을 좋아한다면 너는 분명 누군가의 아픔에 공감할 줄 아는 사람이라며 위로를 해줬던 친구의 선물이기에, 글을 읽는 동안에는 어느 순간 나를 위로하며 용기를 주고 있음을 알아차렸기에 독서의 처음과 끝은 모두 즐거웠다. 황정은의 소설을 좋아하는 나는 〈일기〉에서 전에 읽었던 소설 속 인물들이 다시 등장한 부분에서도 반가웠고 소설을 읽으며 작가의 일상을 궁금해 했던 부분도 어느 정도 해소가 된 기분이었다. 어느 작품을 좋아하면 그 작품을 만든 사람의 일상이 궁금한 건 당연한 거다.

황정은의 소설은 우리 사회의 '어쩔 수 없음'에 대해 생각하게 한다. 우리 주변 어디서나 쉽게 어쩔 수 없는 일이라 여기는 것들은 있기 마련인데 이를 조금만 더 자세히 살펴보면 어쩔 수 없는 일이란 어디에도 존재하지 않음을 깨닫는다. 나는 그 지점에서 독서의 희열을 느낀다. 황정은은 언제나 소설 속에서 어쩔 수 없는 것은 없다고 말한다. 이유를 장황하게 설명하지도 않고 끝을 보는 결말도 아니지만 이야기 자체만으로 그걸 증명해 낸다. 이번에 읽은 〈일기〉 역시 (그녀의 삶 역시) 그녀의 소설과 같아서 다행이었다. 억지로 짜내지 않고 무엇인가를 장식하지 않아도 그녀의 삶과 그녀는 멋있었다.

어쩔 수 없는 일들이 현실에서는 너무 빈번하게 일어나는 것처럼 보인다. 사실 그런 건 없다. 어딘가 분명 이유가 있다. 그렇게 나는 최근 '어쩔 수 없는 일'을 경험했다. 내가 사는 아파트는 30년이 훌쩍 넘은 아파트. 지금은 너무 오래 돼 같은 평수여도 주변의 아파트들 보다 저렴하다. 처음 이사를 오게 된다면 손 봐야할 곳도 많지만 30년 전 이 아파트가 지어졌을 땐 도시에서 최고의 인기를 자랑했다. 90년대 초 당시에는 지역의 유지들이라 불리는 사람들, 꽤 부유한 사람들이 살았던 아파트였다고 한다. 문제는 건물이 오래된 것이 아니다. 이곳에서 아주 오랜 세월을 함께 보낸 사람들이다. 모두가 그런 것은 아니지만 오래 전 부유했고 지금은 은퇴했지만 여전히 오래 전 명성을 잊지 못하는 이들이 그렇다. 요즘 말로 꼰대라고 하는데 다들 알겠지만 진짜 꼰대는 자신이 꼰대라는 걸 인정하지도 않고 그 말에 관심도 없다.

어느 날 경비실에 메모가 하나 붙어 있었다. 아니지 정확히 말하면 경고장이 분명했다. '경비원의 업무 중 차를 대신 주차해 드리는 건 없습니다.' 이게 무슨 소리인가 다른 사람의 차를 왜 경비원이 주차하는 거지? 싶었다. 그 경고문이 내 기억 속에서 잊힐 때 쯤. 집으로 돌아오는 길 주차장에서 경비원 아저씨를 만났다. 아저씨는 마스크 뒤에 표정을 가린 채로 유유히 내 차 앞을 지나갔고 건너편 길가에 세워진 벤츠 차량 운전석에 앉았다. 매우 자연스러워 보여서 나는 '헉'이란 말이 저절로 나왔다. 그 감탄사의 의미는 순차적으로 두 가지였다. 처음에는 벤츠 차량의 주인이 경비원 아저씨인 줄 알았다. 그동안 매일 같은 복장으로 출근하시고 어쩌다가 자전거를 타고 출근하시기도 하셨는데 혹시 경비 일은 취미로 하시는 건 아니겠지? 싶었다. 그런데 가만히 아저씨의 눈빛을 본 후 들었던 내 머릿속을 스친 생각이 있었다. 그 경고문. 나의 두 번째 '헉'이 튀어나오는 순간이었다. 경고까지 해 놨는데 주차를 시키다니 경비원의 업무가 아닌데 이런 갑질을 자연스럽게 하다니. 도대체 누가 왜 그런 짓을 했는가. 나도 모르게 화가 났다. 나는 주차를 마친 아저씨에게 달려가 말했다. '아저씨 그냥 해주지 마시지 그러셨어요! 아저씨가 한가하신 것도 아니고! 대체 누구에요!' 아저씨가 말했다. '어쩔 수 없다잖아요. 그리고 나도 어쩔 수 없네.' 그가 말한 어쩔 수 없다는 말은 무척이나 쓸쓸하고 잔인하게 들렸다. 문제는 이 세상에 어쩔 수 없는 이 일들을 그저 어쩔 수 없도록 방관해야 하는가. 헉, 이라 말했던 내 입술이 다물어지지 않았다.

너무 흔한 말이지만 시작이 없는 끝은 없고 원인 없는 결과는 없다. (아직까지 내 삶의 경험으로는 나는 이 논리를 믿는다.) 삶을 탐구하는데 있어서 앞을 제외하고 뒷일들에만 관심이 있다면 공허함만 남을 것이다. 그리고 우리는 이 쓸쓸함과 잔인함을 언제까지나 해결하지 못한 채 반복하게 될 것이다. 그러나 어쩔 수 없는 것으로 남겨두기엔 희생이 너무 크다. 반드시 그렇게 치부된 일들에 대해 원인과 결과를 규명해야 한다. 황정은은 이번 에

세이에서도 역시 건강하라는 안부를 전했다. 우리는 진심으로 건강에 대해, 건강해야 할 이유에 대해 생각했었는지 궁금해졌다. 우리는 그녀가 어디에서나 말했던 그 건강함에 대해 꽤 진지하게 다가가야 할 것이다.

희망하는 미래

- 올더스 헉슬리 〈멋진 신세계〉

필연적으로 인생에서 중요한 인연은 내 의지와 상관 없이 생긴다. 조카가 태어났다. 이 사건은 분명 중요한 일이다. 인간관계에 있어서 자신있다라고 말할 수 있는 사람은 얼마나 될까. 완벽한 인간관계, 처세술, 대화의 방법은 수많은 강연과 동영상 컨텐츠, 책에서도 소개하지만 개인의 모든 인연에 관한 솔루션을 제시해 줄 수 없다. 오롯이 스스로 부딪혀야 하는 문제다. 가끔은 나도 돌아본다. 나의 수많은 인연들을 생각한다. 지난날의 인간관계들을 떠올렸을 때, 나는 누군가에게 다가가지도, 떠나가는 누군가를 잡지도 않았던 것 같다. 그런데 세상에 태어난 이 생명은 내가 어찌할 수 없는 노릇이다. 내가 가진 미숙함과는 상관없이 나의 사람이 됐기 때문이다. 조카를 낳은 동생은 자식이 생겼다는 기쁨과 부담감 걱정과 환희로 매일을 살아간다. 그것은 일생에 단 한 번도 느껴보지 못했던 감정의 연속이라고 했다. 이 감정이 좋기도 하고 때로 힘들기도 하다고 말한다. 가장 중요한 건 이 모든 생각을 덮을 만큼 조카가 자신의 인생에 있어서 귀한 존재라고 했다. 어느 날 문득 자신이 낳은 이 생명이 너무 고귀하다고 느껴질 땐 내가 이 아이를 낳기 위해 세상에 태어났구나라는 생각이 든다고 한다. 스스로의 존재 의식을 자식에게서 발견하다니 놀라움의 연속이다. 자식은 그런 거구나 나 자신을 잃어버리는 사실도 잊을 만큼 큰 존재구나 싶다. 물론 나는 아직 그 모든 감정을 이해할 수 없다. 다만 동생의 삶이 변한 건 사실이다. 나는 이 사실을 매우 가까이에서 느끼고 있고 이 일은 읽기에 새로운 방향성을 탐닉하게 한다.

조카가 생긴 후 어느 순간부터 동생과 나는 종종 미래에 관한 이야기를 한다. 이 세상이 조금 더 나은 세상이 됐으면 하는 바람에 관한 이야기다. 그래서 좋은 대통령을 뽑았으면 싶고, 잘못된 법은 빨리 고쳐졌으면 싶고 환경에 관한 문제도 더 많은 사람들이 관심을 가졌으면 싶다. 동물과 사람이 함께 공존하는 세상을 원하는 사람들의 목소리가 더 커졌으면 한다. 무엇보다 이런 목소리들이 자유롭게 오가는 사회가 더 빨리 왔으면 하고 바란다. 이처럼 동생과 미래를 이야기할 때면 자연스럽게 현실을 생각한다. 왜 나는 며칠 동안 집 밖을 나가지도 못하고 아이와 씨름하고 있는가. 언젠가 갑자기 찾아온 코로나는 아이가 크면 사라질 전염병인가, 동생의 생각에 나는 이어 말한다. 나는 너를 보면 분명 아이를 갖고 싶어야 하는데 왜 오히려 더 가지면 안 될 것 같다는 생각이 드는 걸까. 나는 왜 네가 행복해보이지 않고 더 슬퍼보이는 걸까. 분명 너는 행복하다고 말하고 있는데 말이다. 엄마들은 모두 이렇게 슬픔을 안고 새로운 생명을 키워내는 건가. 그렇다면 슬픔 이후에 더 나은 미래란 정녕 있는 건가. 이런 생각들이다. 다시 떠올려도 정답이 없다.

나는 때로 미래에 대한 그림을 소설 속에서 찾는다. 물론 이 그림도 정답은 아니다. 미래를 예측한 모든 소설들은 공통점이 있다. 작가들의 상상력과 통찰력으로 만들어진 미래 세상은 미래를 서술하고 있지만 독자는 결국 현실을 생각한다는 사실이다. 모두가 그런 것은 아니지만 미래를 그리는 작품들은 작가의 상상력으로 만들어낸 어떤 특정 시기의 미래사회의 시스템을 꽤 완벽하게 그린다. 이야기는 그 세계에 살고 있는 사람에 대한 이야기에 대한 구체적인 언급을 함으로써 오늘날 독자가 존재하는 현재를 벗어나고 싶다는 생각을 정당화한다. 미래를 이야기 하지만 현재에 대한 감상에 불과하다. 어차피 현실을 이야기할 건데 미래가 굳이 왜 필요할까, 이런 생각을 하게 한다. 이 생각에 대한 정답은 동생과의 대화에서 찾았다. 우리에게는 '미래에 대한 터무니없는 희망'이 오늘을 살아갈 원동력이 된다는 사실이다.

올더스 헉슬리의 〈멋진 신세계〉는 우리의 희망을 단절시키기도 하며 무한한 희망으로 전개시키기도 한다. 오랜 시간동안 소설의 역할을 충실히 하고 있는 것이 분명하다. 소설은 철저하게 우리가 상상하고 희망하는 미래의 에덴동산은 없다고 말한다. 법과 질서를 완벽히 구현해 내고 완벽한 시스템으로 세상이 움직임에도 불구하고 그 가운데에서도 인간은 완전히 인간다움을 구현해 낼 수 없다는 게 소설의 결론이다. 단 한가지의 기획으로 만든 세계가 모든 인간다움을 컨트롤 하고 그 과정을 모든 인간이 수용할 때 그것은 과연 인간이라 부를 수 있는 존재냐, 그런 세상이 유토피아가 맞느냐하는 것인데 이러한 설정은 단순히 미래를 상상하고 쓴 소설이 아닌 인간의 존재에 대한 깊은 철학적 통찰을 가능하게 한다. 위낙 유명한 소설이기에 지금까지 다양한 감상이 나왔다는 걸 알고 있다. 그럼에도 불구하고 내가 다시 이 책을 읽은 이유는 십년 전과는 또 다른 감상을 얼마든지 새롭게 만들어낼 수 있는 글이기 때문이다. 아직 오지 않은 미래에 대한 상상은 오늘날 또 다른 그림으로 완성되고 있기 때문이다. 이는 철없기만 한 나의 동생이 엄마가 됐고 엄마가 된 이후의 그녀의 미래가 달라진 것과 같은 의미다. 우리는 미래를 위해 살지만 상상했던 그 미래는 언제나 오늘임을 잊지 않아야 한다. 그렇다면 우리는 어떤 인간으로 살 것인가를 언제나 고민해야하지 않을까. 미래를 종종 상상하는 사람이라면 말이다.

〈멋진 신세계〉는 다양한 철학적 의미가 담긴 글로 유명하지만 사실 나는 헉슬리의 문체가 좋아서 책을 다시 펼친다. 소설의 차가운 배경과 달리 문체는 한 없이 따뜻하다. 그 따뜻함이 도가 지나쳐 소설에서 그린 세상으로 가는 모든 과정을 정당하다 인정하게 되는 시점이 올 때도 있다.

소설 속, 버나드가 레니나의 아름다움에 사로잡힌 순간은 더욱 그렇다. 버나드가 레니나를 바라보는 장면에서 뜬금없이 로미오와 줄리엣의 이야기가 등장한다. 아름다움에 대한 감상은 로미오와 줄리엣의 이야기가 있었던 그 때나 지금이나 미래의 신세계가 도래할 때나 같을 수밖에 없는 이야기라 말하고 싶었던 게 아닐까. 어떤 식으로든 해석이 가능하다. 무방비 상태에서 인간은 어쩔 수없이 그런 존재라는 이야기일 수도 있고 괜한 미래에 대한 상상으로 오늘날 감수성을 저버리지 않기를 바라는 누군가의 마음에서 부터 시작된 이야기일 수도 있다. 나는 이렇게 〈멋진 신세계〉 전반에 깔려있는, 필연적인 본능과 가까운 감정들을 표현하고 서술할 때 과거의 글을 빌려오거나 현재의 리듬을 있는 그대로 담아내는 문장들이 아름답게 느껴졌다. 맞는 말이다. 아름다움을 본 순간 우리는 우리 안의 잠재 된 본능을 느낀다. 만지고 싶어지고 다가가고 싶은 것은 당연하다. 그것은 아름다움을 알아차리는 인간이라는 증거다. 그러나 인간은 그보다 더 복잡하고 고차원적이다. 본능에서만 멈춰야 할 것이 아니라 나아가 예술로 완성돼야 한다. 이 과정이야말로 온전한 인간이라는 증거가 아닐까.

나는 〈멋진 신세계〉가 희망에 대한 정의를 내리지 않아서 좋다. 어떤 세상이 좋은 세상인지 억지로 끼워 맞추지 않아서 좋다. 인간다움과 관계에 대하여 시스템과 통제, 그리고 죽음에 대하여 독자들에게 그 결말을 맡긴 것에 고맙다. 나 역시 나의 세계에 대하여 나 스스로 희망을 품거나 결말을 그린다. 그것은 제 아무리 유능한 학자나 영성이 충만한 종교인이 내 미래에 관한 예언을 한다 해도 스쳐 지나갈 뿐 희망을 어떻게 바라보고 그릴 것인가 하는 문제는 나에게 달려있다.

새로운 생명이 태어나 어떤 미래를 살게 될지 우리는 모른다. 이 땅에 인간으로 새롭게 태어난 아이에게 희망이란 단어는 어떻게 그려질지 예측할 수 없다. 우리는 다만 그들의 삶 속에 있는 다른 이들보다 아주 조금 가까운 누군가가 될 뿐이다.

엄마에 대하여

- 오은엮음 〈마음과 엄마는 초록이었다〉

억울함을 침묵으로 표현한다. 나의 방법이다. 진짜 억울한 일을 마주한 사람들과 내 삶을 비교하고 싶지는 않다. 타인의 억울함은 언제나 가소롭게 들린다. 이 전제를 알면서도 사람들은 억울함에 대하여 각자의 방법으로 표현한다. 사람의 감정이란 상대적일 수 없다고 대체로 생각하는 편이다. 그래서 나도 억울함에 대해 쓰기로 했다. 근본적으로 나는 세상에 태어난 게 억울하다. 인생의 순간에 행복한 일들이 많았던 것과는 별개로 억울함은 존재한다. 자유롭게 강을 헤엄치며 살아야 하는 물고기가 어항에 갇혀 태어난 것처럼, 어디든 날아올라 하늘 끝이 어딘지 평생 알 수 없을 정도로 날갯짓이 버거울 만큼 힘겨워야 할 새들이 작은 새장 안에서 태어난 것처럼 나는 억울하다. 오늘날의 삶을 비난하는 것은 결코 아니

223

다. 지금의 내가 왜 나인지, 우리는 왜 지금의 우리로 남아 있는지 그 원인에 대해 누구도 증명해 줄 수 없으므로 그 한계와 유한함이 때로 답답함으로 느껴진다. 나의 유한함은 그 사실만으로도 겸손을 상기시킨다. 그러나 세상은 유한함을 망각하며 살도록 다양한 방법으로 유혹한다. 나의 억울함은 그 유혹에 쉽게 빠지지 않는 것에 있다. 형체를 알 수 없는 브레이크가 내 안에 있다. 나의 본성이 자꾸만 나를 내가 있는 곳으로 다시 돌이켜 놓는다. 나는 언제나 제자리, 날갯짓을 해봐야 지구, 더 나아가 봐야 달까지.

나는 나의 엄마가 나의 세상을 만들어줬다는 변하지 않는 사실에 대해 억울함과 동시에 안도감을 느낀다. 내가 어떤 사람인지 알아차리게 하기 때문이다. 엄마를 생각하는 마음에 대해 써야 한다면 희생이 떠올라 눈물이 흐르거나 너무 큰 사랑이 떠올라 갚을 수 없는 빚이 있다거나 이런 말들은 너무 진부하지 않은가. 내가 생각하는 엄마란 억울한 지구를 물려받은 한 사람의 또 다른 억울한 지구를 물려준 그 이후에 또 한 사람. 그리고 나 역시 그 억울한 지구를 물려줄 엄마가 되겠지. 그렇기에 엄마를 생각하면 침묵해야 한다. 세상의 어떤 방법을 사용한다 해도 유전으로 낙인 된 그 억울함은 생에 사라지지 않을 것이므로!

엄마는 엄마의 존재로 나의 쓸모를 생각하게 한다.

엄마를 주제로 한 이 책의 주옥 같은 시와 산문들이 있다. 그 중 문보영의 〈몰로코후〉라는 시는 이름을 적으면 이상한 이름을 지어주는 웹사이트가 등장하며 시작한다. 이름을 진단해준다는 발상에서 시작한 이 웹사이트의 기괴한 결과들은 이상하게도 설득력이 있다. 나의 유한함에 대한 생각과 비슷한 맥락처럼 느껴진다. 그것은 마치 곱슬머리로 태어나고 싶은 적이 단 한 번도 없었지만 여전히 다시 자라는 머리는 곱슬머리인 것과 같다. 나도 모르게 정해진 나의 모습. 내가 한 번도 결정하지 않았던 나. 나는 그렇게 나로 존재한다. 나는 지금 그렇게 생겨버린 나의 모습을 비난하거나 외면하거나 부정하고 싶은 것이 아니다. 때론 그럴 때도 있지만 어쩔 방법이 없는 나의 모습은 오롯이 나 자신이라는 점을 인정하는 시점을 이 글에 적어보기로 했을 뿐이다.

모든 인간 생명은 출생과 더불어 사람이 된다[17]는 함

---

17 김현경, 〈사람, 장소, 환대〉 문학과지성사

의는 현대사회에서 존재의 경계를 다투는 과정을 무의미하게 한다. 우리는 6,70년대 인권유린이 만연했던 시기를 넘어 독재를 경험했던 무지를 넘어 지금은 더욱 구체적으로 인권과 존엄, 다양한 책임과 권리에 대해 토론한다. 그러나 우리의 토론은 그 시작이 이미 기울어져 있는 경우가 대부분이다. 생명의 원리 안에서 우리의 시작이 모두 같았다는 것을 인식한다면 그 기울어진 정도를 조금 줄일 수 있지 않을까. 하지만 대부분의 사람들은 그 처음의 때를 생각하지 않으려 한다. 오늘날 기울어진 세상에 만족하기 때문이다. 우월한 위치에서의 나, 놓고 싶지 않은 권력, 파괴가 정당화되는 죄까지. 당연하다 여기며 사는 삶을 포기하고 싶지 않은 마음에서다.

인간이 태어날 때부터 죄인이라는 어느 종교의 논리는 이런 세상을 인정하면서 시작한 것이 아닐까 싶기도 하다. 그래서 나는 그 어떤 상황에서도 확신을 가지고 이야기하는 것이 두렵다. 오직 확신할 수 있는 건 오늘날 나의 쓸모일 뿐이다. 이미 기울어진 세상에서 내가 할 수 있는 것은 무엇인가. 나는 평생을 고민하다가 조금씩 해야 할 일을 찾아 하다가 사라질 것이다. 나를 아는 무지에서 조금씩 벗어나는 일. 이울어진 세상을 제대로 이해하고 명확한 삶의 단면을 찾으려 애쓰는 일. 오직 이것을 실천할 뿐이다. 다시 나의 엄마.

엄마는 엄마의 존재로 나의 쓸모를 생각하게 한다.

사랑에 대하여

- 정여울 〈잘있지 말아요〉

사랑을 책으로 배웠다. 이 문장에 전적으로 부정한다. 나는 사랑을 책으로 배웠다는 말에, 책으로 배울 수 있다는 말에 동의해 본 적이 단 한 번도 없다. 역시나 나의 고집을 전도시키는 건 문학이었다. 소설로 만난 사랑이야기들을 천천히 읽으니 그럴 수도 있겠다 싶었다. 후배들이 결혼에 대한, 연인에 대한, 자신이 경험하고 있고 또는 경험하고 싶은 사랑에 대한 이야기를 할 때면 나는 따분함을 느끼곤 한다. 몇가지 이유가 있는데 무엇보다 가장 큰 이유는 다른 사람의 사랑에 크게 관심이 없다. 사랑이란 말로 포장한 무기력함과 어쩔 수 없음의 허용을 받아들이는 것이 불가능하다. '사랑하기 때문에 하지 않는 거야. 사랑하니까 그런 거야' 라는 이야기는 삶을 단순화 시킨다고 여긴다. 무슨 일이든 의욕을 상실하게 하며 모든 결정을 어쩔 수 없게 만든다고 생각한다. 지금도 그 생각에는 변함이 없다. 한 개인의 인생에 대해 당사자가 선택하지 못하고 사랑의 대상에게 끌려 다니는 상태는 그 어떤 모양이든 용납하기가 힘들다. 사랑 때문에 고민이고 사랑 때문에 아픈 친구와 후배들이 나에게 자신의 이야기를 꺼내놓을 때면 나는 온 힘을 다해 그 이야기를 듣고 있지만 사실은 들리지 않았고 결국 나의 대답은 같았다.

'그래서 뭐 어쩔 건데 계속 사랑할 거 아니었어?'

온전한 사랑이란 있을까. 신이 인간을 위해 인간의 죄를 다 뒤집어쓰고 죽고 살았다는 오래전 이야기가 아닌, 오늘날 우리가 직접 볼 수 있는 그런 사랑 말이다. 사랑을 하고 있다는 착각이 아닌 진짜 사랑 말이다. 결국 나를 위한 사랑이 아닌 상대방을 위한, 우리를 위한 사랑 말이다. 그런 사랑이 온전한 거라면 그런 사랑은 존재하는 걸까. 세상에 존재하는 각기 다른 모양의 예술은 이 고민으로부터 시작한다. 다른 결과물로 표현되고 나타나지만 '사랑'이라는 그 고민과 함의를 품고 작품을 완성한다. 작품들이 내포하는 의미를 발견하기 시작하면 우리는 하나의 결론에 다다를 수 있다. 사랑을 찾는다는 건 나의 나 됨을 찾는 것과 같다는 사실. 모든 예술의 방향은 그렇게 흘러가며 그 해답과 같은 무언가에 가까이 닿는다. 그러나 결국 완전히 닿지는 못한다. 여전히 미완성인 상태로 놓여있을 뿐이다. 그래서 그 사랑은 사랑이라 말하지만 슬픔이고 이별이며 개인의 역동이자 인간의 생존과 아주 닮아 있다. 사랑과 슬픔, 개인, 인간의 생존. 이와 같은 말은 인류라는 거창한 틀 안에서는 언제든지 그 어떤 말로 대체해 표현해도 어색하지 않다는 말이다.

오래 전 톨스토이의 〈안나 카레니나〉[18]를 읽으며 사랑 따위는 절대 하지 말아야지, 이렇게 다짐한 적이 있다. 이 작품 속에서의 사랑은 오직 사랑만을 위한 선택이 남아 있을 뿐이며 이 선택은 개인의 정체성에 닿아 있어서 주인공들을 괴롭게 한다. 사랑이 뭔데, 고작 사랑을 시작해서 인생을 복잡하게 만드는 건지 이해할 수 없었다. 나의 감상은 '그러니까 왜 사랑을 시작해서! 이거 봐봐 내가 그럴 줄 알았어' 하는 식이었다. 그래, 사랑이 있다고 치면, 사랑하면 결혼하고 결혼하면 애도 낳고 사랑에 대한 순서와 표본이라는 게 있는 거 아닌가. 그저 삶의 루틴같은 그런걸로 치부해버리면 단순해지잖아, 하는 생각이었

18 레프 톨스토이 〈안나 카레니나〉 연진희 옮김, 민음사

다. 괜히 사랑을 복잡하게 생각해서 괴로움을 안고 사나 싶었다. 사랑을 해보지 않았기에 할 수 있는 말이었다. 나 역시 진짜 사랑한 후에 정리 된 입장은 다르다. 사랑에 대한 실패와 좌절 그리고 사랑함을 모두 경험한 사람이 라면 누구나 알게 된다. 사랑은 원래 그런 거라는 것. 지 금까지 인류가 경험한 모든 사랑은 언제나 이를 반복했 으며 이것은 영원한 글쓰기의 주제가 됐다는 것을. 정여 울의 〈잘있지 말아요〉는 사랑에 관한 문학 작품들을 더 욱 폭넓게 읽을 수 있도록 도와주는 글이다. 사랑에 대한 지침서가 필요한 누군가에게 필요한 글이다. 사랑을 문 학으로도 배울 수도 있구나, 생각하게 했던 글이다. 〈잘 있지 말아요〉를 읽고 사랑에 관한 문학이 당신의 사랑을 더욱 견고하게 해줄 것이다. 적어도 나의 경우는 그랬다. 나는 사랑에 대한 고민을 선행한 후 사랑을 시작했다. 사 랑에 대한 모든 읽기의 과정은 곧 사랑을 더욱 견고하게 하는 과정이었다.

내 인생을 함께하는 나의 사람들이 적어도 사랑에 대 한 착각은 하지 않기를 바란다. 지금 사랑하는데 헤어지 는 게 맞는 걸까. 나의 이런 감정은 사랑이 맞는 걸까. 이 런 고민들은 입 밖으로 하기 전 먼저 사랑에 대해 지금껏 어떻게 생각해왔었는지, 사랑에 대한 생각을 정리했으면 좋겠다. 사랑하는 대상이 아닌 사랑하는 나 자신을 돌보기를 바란다. 당신이 선택한 사랑에 대해, 더 정확하게 말하자면 사랑으로 믿고 싶은 관계들에 대해 신중했으면 한다. 이 과정을 거치면 사랑하는 나 자신을 돌아보게 될 것이다. 나의 이런 만류에도 사랑이 아닌 그 사랑을 계속하고 싶다면 어쩔 수 없다. 나는 당신의 사랑까지 관여할 여유가 없으며 그 정도로 당신의 인생을 사랑하지 않기 때문에 나의 간섭은 언제나 여기까지다. 그러나 그대의 사랑이 사랑인지 사랑이 아닌지 그 착각들의 조각을 스스로 맞춘 후에 나에게 이야기를 들려준다면 나는 그동안 그대가 겪었을 사랑에 대한 모든 과정에 대해 고개를 끄덕이리라.

원래 사랑은 그런 거다. 홀로 있음을 인지하는 것. 어쩌면 사랑이란 없을 수도 있지만 있다고 믿고 살아가며 삶의 원동력을 찾는 것. 이것에 끝이 있을까. 단연코 없다. 우리는 죽는 순간까지 그 고민을 반복할 것이다. 또는 아예 하지 않거나.

레몬에 대하여

- 권여선 〈레몬〉을 읽고

우리는 종종 이해되지 않는 상황을 만나면 '소설과 같은 일들'이라고 말한다. 어디까지나 소설은 작가의 상상과 경험 속에서 비롯했으니 그렇게 말하는 게 영 틀린 말은 아닌 듯 하다. 그러나 내가 상상과 현실이라는 경계에 소설을 놓고 이 말에 여지를 두는 이유가 있다. 현실 속에서 소설과 같은 일들을 만났던 경우가 종종 있기 때문이다. 다시 말하면 현실이 소설 같고, 소설이 더 지독한 현실처럼 느껴지는 경우가 바로 그렇다. 상상력이 아주 풍부한 사람이라 할지라도 그 역시 어디까지나 현실에서 살고 있는 존재이며, 그가 소설을 만든다 할지라도 그 이야기는 현실에서 읽히고 있기 때문이다. 현실과 소설의 경계를 자유롭게 옮겨다니는 현상을 실존주의라는 이론으로 말하기도 하는데 소설의 장르를 아예 판타지로 구분하지 않는 이상, 소설은 언제나 이 실존주의에 어느정도 기대고 있는 것이 아닐까 생각한다.

흔히 실존주의 이론을 설명할 때 카프카와 카뮈의 글들을 빌려 이야기한다. 물론 이들의 글은 '이제부터 내 소설에서 실존주의를 실현해야지!' 라는 다짐으로 시작한 글이 아니다. 그들이 사는 시대가 그들의 글을 그렇게 만들도록 이끌었을 것이다. 윤동주가 자신의 부끄러움을 스스로 만든 것이 아니라 시대가 그에게 부끄러움을 만들어 준 것처럼 말이다. (그는 그 부끄러움 때문에 언제나 괴로움에 사무쳤지만 나는 윤동주의 그 부끄러움을 열렬히 사랑한다.) 지금 우리가 사는 시대에서 '현실 아닌 현실같은 현실인' 소설을 이야기하자면 나는 언제나 권여선의 세계가 떠오른다.

'레몬'에서 가장 인상적이었던 장면은 레몬이 등장한 장면이었다. 그야말로 갑자기, 불시착처럼 레몬이 등장했기 때문이다. 인물의 내면적 갈등이 고조되는 시점에, 불안과 두려움이 이제 곧 절정으로 치닫는 바로 그 시점에 터무니없이 등장한 레몬. 그런데 이상하게도 그 레몬이 바로 여기에서 꼭 필요하구나 싶었다. (이야기의 끝에서 더 확신이 들었다.) 삶을 지속하는 요인 중에 하나로 (그것이 긍정적이든 부정적이든) 갑작스럽게 찾아오는 동기들이 있는데 그 동기들은 천천히 모여 다음 삶을 완성한다. 하지만 우리는 대부분 그 동기를 작은 파편으로 여겨서 인식하지 못하기도 하고 무시하기도 하는데 돌이켜보면 사실 그 동기는 언제든 버리거나 새롭게 하는 식으로 나의 의지를 개입시킬 수도 있었을지 모른다. 지나고서야 후회하거나 무엇인지 알아차리기에 이야기라는 걸 만들고 완성할 수 있겠지만 삶이 괴롭다는 사실은 여전히 해결하지 못한 채 남는다는 게 언제나 슬플 뿐이다.

삶의 파편을 모두 기억하는 사람은 없다. 그러나 우리는 그 작은 조각을 하나라도 잃어버리고 살아갈 수 없다. 과거는 쌓여 오늘이 된다. 운동선수가 매일 같은 자리에서 같은 동작을 반복하며 쌓아올린 연습이 가장 최고의 기록이 되는 것과 같다. 그러나 대부분의 사람들과 현대의 미디어는 파편들을 의미없다고 치부해버린다. 보이는 것이 전부인 세상. 조금 더 화려한 결과들이 과정의 동기들을 외면하는 현실. 우리는 그런 세계에 현혹된다. NG 장면이 있어야 완벽한 서사가 된다. 연습 과정이 작품을 만든다. 모든 것은 파편으로 시작한다. 갑작스럽게 찾아오는 모든 삶의 서사는 어쩌면 작은 파편들의 결과일지 모른다. 보이는 것이 전부인 세상이란 착각에서 벗어나지 못하는 우리는 또다른 실패의 파편들을 현실로 남겨놓는다. 우리의 파편들을 기억한다면, 단 한 조각이라도 의미를 남겨둔다면 세상을 조금 다른 시각으로 바라볼 수 있으리라. 공감의 영역은 넓어지고, 어쩌면 사회의 갈등 또한 좁혀질지 모른다. 보이는 것이 전부가 아님을 알면서도 보이는대로 살아가는 우리는 서로의 파편이 언제든 실존했다는 것을 인정해야 한다. 인정에서부터 출발이다.

그 인정조차 때로 버거운 나는 이런 허술한 삶을 살아가는 존재여서 감사하다. 읽고 들어야 할 이야기가 넘쳐나기 때문이다. 갑작스럽게 찾아오는 삶의 중요한 동기와 순간들, 오늘도 많이 놓치고 살았겠지만 어느 곳에서 분명 알아차리길, 그래서 슬프거나 괴롭거나 기쁘거나 관계없이 여전히 이야기를 쓰는 우리가 되길.

세계에 대하여
- 허지웅 〈살고 싶다는 농담〉

　어차피 내가 좋아하는 것들을 완벽히 내것으로 좋아할 수 없다. 그럴거면 좋아한다고 여기는 것들의 수를 늘려가도 현실이 별반 달라지는 건 없을 것이다. 완전하게 좋아할 수도 없고 그렇다고 아예 손을 뗄 수도 없으니 말이다. 우리는 과거의 모든 것을 '있는 그대로' 바라보는 것은 불가능할 뿐더러 현재도 아주 일부분 살아가고 있을 뿐이다. 세상의 모든 것을 알았고 좋아한다는 자부심은 더더욱 덧없다. 그렇다면 우리는 무엇을 할 수 있단 말인가. 그리고 역사는 무슨 소용이 있는가. 그저 좋아했던 일을 다시 생각하고 좋아하는 일이 무엇인지 각자의 진실 게임을 통해 알아내는 수밖에. 먹고 사는 문제가 눈 앞에 놓여있다고, 사람들은 이렇게 말할 수도 있겠다. 좋아하는 일들을 찾아가는 여정은 헛된 여정이라고 말이다. 그러나 문학은 언제나 말한다 결코 그렇지 않다고, 나도 더불어 강조하고 싶다. 먼 훗날 아주 작은 조각의 역사는 곧 내가 좋아하는 일들이었다는 것을 알게 되고 완성될 것이기 때문이다.

대학시절, 소개팅을 하면 내 소개는 항상 짧게 끝났다. 책 읽는 거 좋아하고 영화 좋아하고 유명한 작가들 좋아하고 유명하지 않은 작가들 좋아해요. 아, 위플레쉬 만든 감독 영화 다들 좋아하는데 저도 좋아하고 그런데 좋아하는 배우는 없어요. 왜그런가 제가 생각해봤는데 질투심인 것 같기도 하고 그래요. 이게 다였다. 나는 곧 재미없는 사람이라는 뜻. 어쩔 수 없다. (지금의 남편은 내가 너무 재밌다고 한다. 여러모로 이상한 사람이다.) 재미없는 나를 좋아한 남자들은 진짜 재미 없음을 알아차린 후에 헤어짐을 망설이지 않았다. 재미없는 내 삶에 유일한 재미는 '사랑을 쏟아야 할 대상들을 찾는 일'에 있다. 나의 몸은 하나 뿐이어서 그 대상들을 찾기에 무리가 좀 있다. 나의 유한함을 알아차릴 때마다 문학과 영화가 전해주는 무한한 이야기들이 언제나 나의 지경을 넓혀 줬다. 하나뿐인 몸으로도 어디든 떠나게 했고, 누구든 만날 수 있도록 했기 때문이다. 문학을 사랑하지 않을 이유는 없었다. 이야기에 빠져 있을 때만큼은 문학은 나를 위해 존재했다.

오늘날 우리는 얼마나 많은 것들을 소유하고 싶어하는가. 그런 마음이 없었다 하더라도 작은 화면 속에 수없이 쏟아지는 정보를 들여다보고 있으면 마음이 괴로울 만큼 갖고 싶은 것들이 생긴다. 내가 처음부터 무엇을 좋아했는지 그 사실도 알기 힘들어지는 지경에 이른다. 그러나 내가 오늘 펼치는 이야기만큼은 나의 속도대로 움직여준다. 세상에 복잡한 일들에도 무덤덤하게 해준다. 활발하게 뛰고 있고 치열하게 고민하는 아이러니한 코마 상태. 문학이 있을 때 가능하다. 있는 것들을 그대로 보지 않고 각자의 방식으로 해석해 써내려 간 다양한 이야기들이 조금 더 큰 파도로 넘실댔으면 좋겠다. 다시 살아 글을 쓴다는 기쁨이 허지웅 작가에게 밀려온 것처럼 나도 그 감격으로 매일을 쓰고 읽고 싶다. 오늘도 나를 위해 움직이는 세계가 고맙다.

팥죽에 대하여
- 황지운 〈올해의 선택〉

팥죽이란 자고로 칼국수면이 들어가야 맛있다. 그 사실을 알았던 건 대학교 입학을 위해 문창과에 지원을 했던 날 밤이었다. 여고생 시절 나에게는 함께 책을 읽었던 친구가 있다. 친구는 국문과 나는 문창과에 가기로 했다. 원서 접수를 하고 나는 친구의 집에 갔다. 이 날은 나의 좁은 세상이 아주 조금, 그러면서도 아주 크게 변했던 날이 됐다. 친구의 집은 전라도 광주였다. 고등학교 3년 내내 기숙사생활을 했던 친구는 수능이 끝난 이후 광주로 내려갔다. 친구가 있는 곳. 나는 광주로 갔다.

나에게 광주, 아니 전라도는 수학여행 때도 가 본 적이 없는 곳이었다. 전라도하면 기껏해야 무주에 있는 스키장 정도만 갔을 뿐이었는데 그래서 익숙한 친구의 얼굴과 광주가 자꾸만 따로 놀아서 가는 길이 어색했다. 친구는 특별했다. 전라도 사람인데 사투리도 쓰지 않았고 수능 이후 정시 원서를 쓰면서도 전라도에 있는 국문과가 아닌, 경기도에 있는 국문과에 가고 싶어했다. 좋아하는 시인의 고향에서 살아보고 싶다는 이야기도 했었다. 친구와 친해지면 친해질 수록 새로운 궁금증이 생겼다. 친근감이 커질 수록 나는 친구에게 질문이 많아졌다. 어느날 그녀는 원하는 대학교 국문과에 지원하는 날 집에 한 번 초대를 하겠다고 했다. 그렇게 간 곳이 광주였다. 광주 시내 작은 빌라였다. 내 친구의 가족이 여기에 살고 있었다. 입구에 들어서면 좁은 복도가 있었다. 그 끝에 친구의 책상이 보였다. 친구는 여기에 앉아서 글을 쓴다고 했다. 그녀의 꿈은 시인이었다. 방학 동안 이곳에 내려왔던 친구. 그녀는 이곳에서 시를 썼을 것이다. 약간 흐릿한 조명 아래에서 어떤 시들을 썼을까 상상 했다. 책상 옆에, 아래에 메모가 가득하다. 호기심 많은 눈빛으로 메모를 읽고 있는데, 친구의 어머니가 저녁 식사를 하라며 우리를 부르셨다. 팥죽이었다. 그런데 뭔가 좀 이상하다. 팥죽에 칼국수면이라니? 그럼 팥칼국수라 불러야 하는 건가? 싫었는데 어머니는 이게 바로 팥죽이고 전라도에서는 팥죽을 이렇게 먹는다고 말씀해주셨다. 직접 면을 반죽해서 정성껏 만들어 주셨던 팥죽. 나는 그 맛을 잊을 수 없다.

잊을 수 없었던 건 팥죽 뿐만이 아니다. 내가 그 날 광주에서 맛본 것들은 광주만의, 시를 좋아하는 친구만의, 친구를 사랑하는 친구의 엄마만의 차분하고 정겹고 따뜻한. 딱 하나의 언어로 표현할 수 없는 감성이었다. 그 감성은 십 몇 년이 훌쩍 지난 지금도 팥죽을 먹을 때면 어렴풋이 떠오른다.

인생을 바쳐 글을 쓰고 예술을 완성하는 작가들을 조금 더 깊이 탐색하면 발견하는 무언가가 있다. 그 무언가는 내가 광주에서 느낀 이 감성과 비슷하다. 오늘 만나는 사람과 팥죽, 인사와 표정. 그 모든 것들을 있는 그대로 받아들이고 온 몸으로 느끼고 어느날 하나씩 최선을 다해 표현하는 행위이다. 그 행위의 결과는 때로 너무 복잡하고 명확하지 않아서 대체 이런 글을 왜 썼을까, 이런 생각이 들 때도 있지만 언젠가는 이 모든 이야기가 바로 우리 삶의 이야기였다는 걸 깨닫게 되기도 한다. 이것은, 팥죽이란 칼국수 면을 넣을 수도 있고 달게 먹을 수도 있고 소금을 넣을 수도 있고 그 외에도 다양하게 먹을 수 있는데 결국 모두 '팥죽'이라는 것과 같은 말이다. 혹자는 이게 무슨 팥죽 같은 말이냐고 할 수도 있겠다. 하지만 나는 때때로 소설을 읽으며 생각한다. 나의 세상이 아닌 다른 세상이 이토록 많은데 나만의 세상이 옳다, 정답이다. 맞다. 단정하며 살아갈 수 없는 노릇이라고 말이다. 읽기의 행위가 그 어느 것보다 고귀하고 예술이 무한한 이유는 바로 여기에 있다.

하나의 팥죽에서 얻는 감상은 얼마든지 짧은글이 되고 추억이 된다. 하물며 누군가의 사랑에 대한, 아픔에 대한 서사 속에서 발견하는 감상에 대하여 우리는 말할 수 있어야 한다. 아무것도 아닌 일로 버리거나 잊는다는 건 불가능하다. 반드시 소설이나 예술로 완성해야 한다. 우리는 완성을 거듭하는 이 무한한 세계를 사랑할 수 밖에 없는 이유를 또 이렇게 견고하게 세운다. 또한 이것은 오늘날 내가 소설을 읽는 이유이며 소설을 읽으며 영영 치열하게 한량으로 살겠다는 이유가 된다.

황지운 소설집에 등장했던 짧은 소설들을 읽으며 혼란스럽고 모호한 관계들에 꾸준히 집중했다. 이 과정은 괴롭지만 행복했다. 외로운 나의 세상을 풍요롭게 해

주었다. 특히 〈로큰롤에 있어서 중요한 것〉편이 좋았
다. 모든 것이 고맙다.

7부

가장 사적인 가족

　그 녀석이 내 곁으로 왔다. 지금으로부터 약 4년 전 일이다. 이름은 고동. 검은색과 갈색의 사이, 고동색을 띤 매력적인 모습에 고동이라 지었다. 녀석은 두 살쯤 되던 해 경상도에 위치한 어느 공장단지 입구에서 발견됐다. 목줄을 한 채로 버려져 있었다. 누군가 새벽에 누군가의 돌봄을 짧게 바라고 두고 간 것이다. 어디로 도망가지 못하도록 묶어 놓았던 끈. 그곳에서 버리고 간 그 사람의 뒷모습을 한참이나 지켜봤을 녀석. 어떤 이유였는지 모르지만 적어도 그렇게 묶어 놓고 떠나는 건 고동이에게 비극이 됐다. 당시 어린 강아지였던 고동이는 누군가에게 버림받았다는 생각을 어느 정도 했던 것 같다. 아홉살이 된 지금도 어딘가에 묶인 채 놓이는 걸 싫어하기 때문이다. 차라리 줄 없이 '기다려'라고 말하면 그 말을 곧잘 듣는다. 아무래도 그 공장단지 입구에 그 녀석을 놓고 떠나버린 이전 보호자는 기다리란 말을 하지 않았던 모양이다. 기다리면 다시 올 거라는 믿음은 나에게서 배웠다. 지금 고동이는 오히려 목줄을 하지 않으면 불안해한다. 지금 고동이에게 목줄은 엄마와 연결된 끈이 되었기 때문이다. 나와 고동이 사이에 보이지 않는 끈이 묶여 있다는 걸 서로가 느끼고 있기 때문이다. 보이지 않는 끈. 당연히 처음부터 생긴 건 아니다. 오랜 시간이 필요했다. 앞으로도 필요할 거라고 생각한다.

유기견을 입양해 본 사람들은 안다. 피가 나는 몸의 상처보다. 마음의 상처가 아무는 시간이 더 오래 걸린다는 것을. 그런데 여기서 더 나아가 생각해 볼 필요가 있다. 사람에게 버림받고 상처받는 거 동물들뿐이겠는가. 그리고 우린, 그 누구도 한번도 무엇인가를 상처 주고 떠나보낸 적이 없을까.

처음부터 고동이는 특별했다. 유기견 보호소에서 8개월 정도 생활하는 동안 녀석은 가장 활발한 개구쟁이였다고 한다. 다른 개들이 밥 먹을 때도, 잠을 잘 때도, 나른한 오후를 보내고 있을 때도 그 좁은 보호소 안을 매일 뛰어다녔다. 보호소 직원분이 말했다. '하루는 너무 정신이 없어 큰 소리를 낸 적도 있어요.' 그런데 나를 처음 만났던 바로 그날은 좀 달랐다. 고동이는 나를 보며 다소곳하게 엎드려 있었고, 뭔가 내 눈치를 보는 듯 했다. 천천히 나에게 다가온 고동이였다. 그렇게 내 품에 처음 안긴 이후에는 떨어지지 않으려 했다. 어떤 이유였는지는 모르겠지만 적어도 나에게 잘 보이고 싶었던 것 같다. 어찌됐든 하는 짓이 귀여웠다. 무슨 생각이었는지 모르겠지만 무엇인가를 생각하는 눈빛이었다. 그게 그 녀석의 첫인상이었다.

사랑을 많이 줬다. 어쩌면 내 안에 이런 사랑이 있었나 싶을 정도로 고동이를 사랑했고 그 사랑은 나를 풍요롭게 했다. 그러나 고동이는 조금 달랐다. 고동이는 버려진 그 날에도 그 이후의 삶에도 종종 슬픔을 느끼는 것 같았다. 어쩌면 버려졌다는 사실을 알았을지도 모르겠다. 누군가를 기억하고 있는 것 같았다. 고동이에게 슬픔을 뛰어넘을 만한 기쁨을 주고 싶었다. 일방적인 나의 짝사랑이 어느날 녀석에게 통했다. 고동이가 있는 삶이 내게 더 행복을 줬던 것처럼 앞으로 남은 날들도 고동이와 함께 하는 기쁨이 더 많아지길 바라고 있다. 우리의 처음 만났던 순간은 그렇게 감격스러웠다. 그리고 그 이후의 시간은 더 소중해졌다. 우린 서로를 처음 만난 순간 느꼈던 마음, 그 따뜻함을 잊지 않는다. 그리고 지금도 변하지 않으려 노력한다. 어떻게든 가족이 되겠다는 결심. 서로를 이해하겠다는 다짐. 그것들은 여전히 우리 안에 존재한다. 그 녀석이 변하지 않는 한, 나도 변하지 않기로 마음먹는다.

인간관계에서는 어렵다. 그 사람이 변하지 않는 한, 이란 전제를 쉽게 결론 내릴 수 없기 때문이다. 사람과의 관계를 포기하란 말이냐고? 아니다. 내가 먼저 관계에 있어 변하지 않기를, 편견이 없기를 다짐하는 노력이 필요하다. 그 노력의 일부로 우리는 다양한 인간관계와 처세술에 관한 책을 읽는다. 다른 사람의 생각과 마음을 이해하려는 노력은 나를 먼저 알아가려는 노력으로 바뀐다. 대중들이 심리학에 열광하는 이유다. 알파벳 네 글자로 서로를 소개한다. 내 배경과 성장과정을 이해하며 말과 행동, 오늘날의 가치관에 대해 생각한다. 사람에 대해 이해하려 할수록 복잡한 인생이 시작된다. 그러나 우리는 이 노력을 멈출 수 없다. 살아가는 존재들. 생명으로 이미 완벽한 우리. 그 사실을 인정하면서도 발생하는 수많은 어려움은 우리의 문명과 예술을 꽃피운다. 우리의 복잡한 사랑을 더욱 견고하게 한다.

변함없는 것을 좋아하는 사람들이 있다. 특히 인간관계에 있어서는 변함없음이 중요한 덕목으로 여겨지기도 한다. 처음과 다르지 않는 것이, 그 어떤 편견을 갖지 않는 것이 얼마나 어려운 일인지는 우리 모두 알고 있기 때문이다. 관계가 무너지면 다시 시작하면 되는 거 아니야? 라는 말을 변명과 합리화가 아닌 정당화로 사용할 수 있는 사람은 그리 많지 않다. 대부분 처음과 같은 마음을 잊거나 잃어버리고 살기에 비극이 시작된다.

인간은 생명으로 태어난 동물과 '생명으로서의 관계' 를 설정해야 한다. 지구를 공유하고 있는 생명인 우리는 공존하는 질서를 견고하고 안전하게 유지해야 하는데 여기에서 인간은 동물들의 본능과 감정을 이해하는 과정을 반드시 필요로 한다. 인간과 함께 살아가는 동물, 같은 생명으로서의 존재를 인정해야 한다. 박종무의 〈우리는 동물을 어떻게 대해야 하는가〉[19]는 동물과의 관계, 그들의 본능과 감정을 이해하도록 돕는다. 인간과 동물과의 관계에 대한 적립. 인간이 동물을 대하는 태도를 본질적으

---

19 박종무 〈우리는 동물을 어떻게 대해야 하는가〉 리수출판사

로 다룬다. 동물에 대한 무지는 나와 내 가족이 살아가야 할 터전에 온갖 쓰레기가 넘쳐나는데도 방치하는 것과 다르지 않다. 동물복지는 인간에 대한 복지를 실현하고 완벽히 갖춘 후에 실천하는 다음 단계가 아니다. 함께 살아가기가 필연적인 생명으로서 존재하는 모든 이들을 위한 지금의 단계다.

이와 같은 생각. 동물의 생명이 존중받는 건 필연적인 일이며 창조 질서라는 사실이라 확신했던 건 제러미 리프킨의 〈육식의 종말〉[20]과 김한민의 〈아무튼 비건〉[21]을 읽고부터였다. 이 글들은 인간이 생존에 필요한 의식주 중에 '식'의 영역을 문제삼는다. 전혀 다른 문체와 분위기를 띠는 이 두 저서이지만 결국엔 같은 논증을 제시한다. 육식은 자연의 질서를 파괴하고 인류의 문명을 정당화 하며 발전했다는 것. 오늘날 기후위기와 다양한 환경이슈 등 현대문명의 문제는 이 육식으로부터 시작됐다고 해도 과언이 아니라는 주장은 그야말로 소잃고 외양간 고치는 어리석음을 실천하지 않도록 돕는다. 오늘날의 환경 이슈와 인간 사회의 욕망으로 생긴 불협화음의 원인을 명확하게 규명한다. 무지가 죄가 될 수 있는 세상은 아니니까, 이 글을 잃지 않아도, 그래서 계속해서 오늘

---

20 제레미리프킨 〈육식의 종말〉, 신현승 옮김, 시공사
21 김한민 〈아무튼 비건〉 위고

날의 육식 문화에는 문제가 없다고 생각하는 사람일지라도 나는 비난할 수 없다. 그러나 알고 난 뒤에는 달라져야 한다. 미래를 위해서가 아니다. 이것은 엄연히 우리에게 닥친 당장의 생존 문제로 직결된다. 동물은 우리와 다른 존재가 아니다. 생명으로서 같은 존재다.

〈아무튼 비건〉의 저자도 고동이와 같은 존재를 사랑하면서부터 비건에대한 관심을 갖기 시작했다고 했다. 처음엔 나도 사랑스럽고 귀여운 고동이를 이해하고 싶은 마음에, 고동이와 같은 존재들을 떠올렸다. 책은 밤을 새워 한 자리에서 단숨에 읽었다. 물론 책을 읽는 동안 고동이는 내 옆에 있었다. 동물에 관한 이야기는 동물의 시점으로는 언제나 비극적이다. 내가 기존에 알고 있었던 비건에 대한 생각은 잘못된 것이었다. 동물들의 이야기가 담긴 책을 읽었던 어느날 밤은 언제나 고요했다. 그리고 내 서재는 혼란 속에 요동쳤다. 책을 읽고 난 이후, 나는 고동이와 같은 존재들의 삶은 더 이상 외면하고 지배하고 먹어 치워야 하는 대상이 아니라는 걸 깨달았다. 그리고 더 자세하게 알아야만 했다. 지금 이 순간도 고통받고 있는 동물들과 연약한 사람들. 그 사람들을 위한 일은 우리 모두가 해야하는 일임을 확신했다. 나는 이 고루한

외침을 내가 쓸 수 있는 곳에 언제든 쓰고 전하기로 했다. 그것이 '우리 동네 솜씨'와 같은 복지센터 게시판에 잠깐 올라가는 글이라고 할지라도 말이다. 이 글을 읽고 있는 당신도 당신이 할 수 있는 일을, 당신이 머물고있는 바로 그곳에서 지금처럼 우리가 지구에서 사라지는 그날까지 끝까지 함께 하기를 바란다.

계속해서 두려워하는 나로 그래서 품위있는 나로

'인간의 방식은 수많은 생명의 다양성 중 하나일 뿐이며 인간과 같지 않다고 하여 그들이 외부의 자극을 느끼지 못하는 것은 아니다. 따라서 고통을 느끼는지 여부가 다른 생명을 대하는 필요 충분한 기준이 될 수는 없다.'[22]

2023년 1월이 생일인 우리 할머니는 올해로 89세. 할머니는 당신의 생일이 가까워지면 늘 하시는 말씀이 있다. 1월이 생일이면 다른 사람들보다 더 빨리 나이를 먹는 느낌이라는 거다. 나는 신년 이후에 심장이 조금 빨리 뛰는 것 같다. 아주 조금씩이라도 발걸음이 빨라지고 있다는 느낌도 든다. 나만 이런 걸 느끼는 줄 알았는데 우리 할머니가 그렇단다. 조금 빨리 심장이 뛰다가 다시 정상적으로 심장이 뛸 때 즈음, 생일이 오면 딱 일년이 깔

---

22 박종무 〈우리는 동물을 어떻게 대해야 하는가〉 리수출판사

끔할 것 같은데, 1월이 생일인 사람은 허둥대다가 끝나는 느낌이라나, 어쨌든 할머니의 표현은 그렇다. 나는 이를 나쁘게 생각하지 않는다. 할머니는 89세의 나이에도 여전히 신년의 기대와 설렘을 갖고 있는 거다. 어쩌면 그 기대와 설렘은 할머니가 90이 가까운 나이에도 즐겁게 사시는 원동력일 테니까. 최근 할머니의 가장 큰 고민은 치매가 오면 어쩌나 하는 거다. 치매는 할머니가 한 번도 경험해보지 않았으니 말이다. 할머니도 89는 처음이라, 두렵고 궁금하다고 했다. 할머니가 말씀하시는 '늙어봐야 아는 것'은 여전히 할머니에게 존재하고 있었다.

안다는 건 세상을 다채롭게 하고 삶을 풍요롭게 한다. 사람은 아는 만큼 보이고 세상은 다양한 것들이 존중될 때 풍성하다. 이는 모든 것을 허용하고 질서를 무너트리자, 라는 논리가 아니다. 처음 자연의 모습 그대로의 모습을 동경하며 살면 어떨까, 하고 생각하고 노력하자는 거다. 그런 세상을 위해서는 우리 모두는 동일하게 늙어야 한다. 자연의 법칙대로 누군가는 죽고 누군가는 살아남아야 한다. 할머니는 증손주가 태어난 것을 볼 수 있고 이 기쁨을 내가 장수하여 누릴 수 있어서 기쁘다고 하셨다. 늙었기에 가능한 일이라 나이가 많으면 좋은 게 더 많다고 말씀하셨다. 할머니의 오늘은 여전히 새롭고 그만큼 익숙한 것들도 많다. 그래서 결론. 89세는 좋은 나이다.

할머니의 늙음은 생명이기에 자연스러운 일이었다. 생명은 태어나 나이가 들고 죽고, 또 다른 생명이 어딘가에서 태어나고 나이가 들고 죽고, 우리는 이미 그 질서 안에서 시작했기에 그 질서가 안전하다. 그러나 우리는 이 질서를 스스로 파괴하고 있다. 늙지 않는 동물. 그들의 모습을 통해 인간은 오늘날 파괴된 현실을 직면해야 한다. 이사 레슈코의 〈사로잡는 얼굴들〉의 원작 제목은 Allowed to Grow Old, '늙어가는 것을 허락하다.'인데, 자연이 허락한 생명연장의 관점에서 동물들이 늙어가는 모습을 '자연스럽게' 담은 사진들을 만날 수 있다. 사진들은 '나이든' 동물들의 모습을 통해 나이들지 않은 생명들을 생각하게 한다.

우리는 모두 같은 생명으로서 '생명은 어디에서 출발했는가'를 생각했을 때 인간이 생명의 시작과 끝을 지배하려는 욕심은 이 자체가 창조원리에서 어긋나며 진화론적인 관점에서도 터무니없는 일임을 알 수 있다. 동물들이 노년을 보낸다는 것이 기적이라고 바라봤던 작가의 시선은 충분히 공감할 수 있었고 내게도 큰 울림을 줬다.

　나는 우리 할머니가 늙어서 예쁘다. 할머니의 주름이 좋고 할머니의 냄새가 좋다. 할머니만이 할 수 있는 표정과 위로와 어린아이와 같은 단어선택이 좋다. 나는 그런 할머니가 할머니 고유의 모습으로 자연으로 돌아갈 때까지 늙을 것을 믿어의심치 않는다. 나는 모든 생명에게서 늙음이 이토록 당연한 일이 되기를 바랄 뿐이다. 마지막으로 이사 레슈코가 책 속에서 남긴 문장을 여기 적는다.

　"나이 든 농장동물과 함께한 경험은 나에게 노년이 저주가 아닌, 사치라는 것을 알게 했다. 나는 미래의 나에게 닥칠 일에 대해 계속해서 두려워하겠지만 그래도, 이 동물들이 보여준 것과 같은 초연하고 품위 있는 태도로 최후의 쇠락을 마주하고 싶다."

기울어진 세상에 기대어 기울어진 나로

어느 선배가 말했다. 뉴스에 관심을 가져야 글도 잘 쓸 수 있다고. 나는 글을 잘 쓰고 싶으니까, 그날부터 결심하고 열심히 뉴스를 봤다. 무수히 쏟아지는 뉴스는 보름달이었던 달이 초승달이 될 때까지 그야말로 무수히 쏟아졌고 그렇게 무수히 내 삶에 쏟아졌다. 하지만 그 뉴스가 손에 잡히거나 가만히 남아 있지는 않았다. 하루는 나도 뉴스와 함께 쏟아지다가 어느 날 마른 한숨을 쉬며 밖으로 시선을 돌렸다. 낙엽이 떨어지고 있었다. 천천히 나뭇가지에서 마르던 푸른 잎은 땅으로 떨어졌다. 그리고 오늘 겨울. 언젠가 떨어졌던 낙엽은 이제 사라지고 없다.

우리는 왜 많은 걸 알아야 할까. 나는 왜 이토록 안다는 것에 버거움을 느낄까. 이런 나의 한계가 부끄럽게 느껴질 때가 있다. 많은 걸 알아야 힘이 생기니까. 잘못된 걸 바로잡을 수 있으니까. 내 생각에 대한 올바른 정당화를 키워주니까. 그래야 세상이 조금 더 나아지니까. 이유를 찾자면 이유는 많다. 이유들이 모두 맞는 말이기도 하고, 하지만 나는 쉬어가고 싶다. 한 번은 뉴스를 보며 이 불편한 생각에 대해 정리할 필요성을 느꼈는데 결론은 이렇다. 나 역시 내 의지와는 상관없이 태어나 보니 지구였다. 지구를 위해 책임을 져야 하는 내 삶의 무게가 버겁게 느껴졌다. 내가 무엇을 할 수 있단 말인가.

나는 그렇게 자주 방관자이기를 원한다. 하지만 이내 방관자를 포기하게 된다. 내 마음이 이토록 기울어진 이유는 기울어진 세상에서 태어났기 때문이다. 끊임없이 미끄러지고 떨어지고 다시 떨어지고 제자리를 찾다가도 미끄러지는 세상. 나는 그걸 알면서도 그날 댓글을 달았다.

내가 댓글을 달았던 기사는 산천어 축제와 관련한 기사였다. 여름이면 닭들이 떼로 죽어나는 치킨 페스티벌, 겨울이면 가둬놓고 죽이기를 즐기는 산천어 축제. 이름이 페스티벌과 축제라 그 뒤에 생명을 죽이는 일로 인간의 쾌락을 충족하는 이 모든 행위가 잘 드러나지 않는다. 그러나 축제라 할 수 없다. 인간은 고대 때부터 잔혹함을 즐겼다. 문명이 진화할수록 인식도 성장했다. 계급은 인간을 인간으로 바라보지 않게 하는 오직 인간이 만든 사상이었으며 불행하게도 그 사상은 오늘날에도 개개인에게 편견으로 존재한다. 고대에는 소위 '인간이 아닌 인간'들은 인간을 위해 싸워야만 했고 죽어야 했다. 다만 오늘날에는 편견으로 전락한 이런 야만적인 사상과 계급은 우리 안에 본성으로 남아 동물에게 죽음을 강요하도록 한다. 나는 엎지러진 물과 같은 이 아픈 역사를 회복하기 위해서는 인간이 다시 자연으로 돌아가는 것만이 방법이라고 여긴다. 자연으로 돌아간 인간이 인간으로서 비로소 올바른 인식을 갖고 성장하는 길이라고 믿는다. 그러나 이것이 가능할까. 조금이라도 가능한 영역에 한 발자국 나아갔으면 한다는 마음이 더 정확한 표현이리라. 나도 문명을 누리고 있고 지금도 문명을 빌려 글을 쓰고 있지만 (완벽하게 자연인으로 살아갈 수는 없겠지만) 그럼에도 지향해야 하는 건 결국 자연이라고 생각한다. 인간이 세상을 지배한다는 가치관이 아닌 자연의 일부라는 가치관으로 돌아가야 하지 않을까.

그렇기에 나는 비인간적인 그 잔인한 축제들이 성황리에 열릴 때마다 비통함을 감출 수 없다. 그렇게 상황을 지켜보다가 종종 댓글을 달기도 하는데 이번에 남긴 댓글에서는 엄지손가락이 아래로 향해 있는 '싫어요'를 몇십 개나 받게 됐다. (싫어요를 눌러주신 여러분 저는 여러분이 싫지는 않아요. 그렇지만 여러분이 옳은 건 분명 아니에요.) 싫어요가 이렇게 많은 이유를 미끄러진 세상 때문이라고 생각한다. 계속 미끄러지고 있는 우리는 누가 먼저 추락하느냐, 누가 더 기울어진 세상을 보고 있느냐의 차이일 뿐 우리는 모두 미끄러지고 있는데, 중요한 건 우리 스스로가 미끄러지고 있는 사실을 아느냐 하는 거다.

우리는 모두 기울어진 세상에 살고 있다. 기울어진 세상은 온전한 것을 온전하게 볼 수 없어 잔혹과 불행, 비난과 시기, 불온을 일삼지만 그것이 잘못된 일이라고 생각하지 못한다. 우리는 때로 정신을 차려야 한다. 미끄러지는 중에도 힘을 줘서 버티고 기울어진 중력을 바로잡으려 애써야 한다. 온전한 것을 온전하게 바라보기 위해서 말이다.

모두가 미끄러지고 있는데 너 지금 추락하는 중이구나! 누가 이렇게 비난할 수 있으랴, 그럴 수는 없다. 다만 애통하며 서로를 붙잡아 줄 수는 있다. 생명을 죽이는 것을 쾌락으로 여기는 모든 것을 축제라고 할 수 없다. 우리는 자연의 질서를 따라가고 자연의 일부분의 인간으로 살아야 한다. 자연의 질서와 인간의 욕심이라는 종이 한 장 차이의 분량을 인식해야 한다. 그러려면 미끄러지고 있는 우리를 서로가 잘 잡아줘야 한다. 그러니 여러분 저도 붙잡아 주세요.

집힌 풍뎅이처럼 비극이 필름처럼 돌아갈 때 잡아줄 손목도 없이 절망이 개흙을 자꾸만 게워낼 때 오욕이 지붕을 덮고 발목을 지우고 애원하는 눈빛을 꺼트리는데 너무 조여 헛돌아가는 나사못처럼 악, 악 소리조차 나지 않는 오늘 속으로 누가 버둥거리고, 누가 밀지 않아도 미끄러운 봄풀에 내일의 비탈에 저기 또 누가 자빠지고 있는데[23]

 – 장옥관 시집 〈사람이 없었다고 한다〉 '미끄러지다' 중에서

---

23 장옥관 〈사람이 없었다고 한다〉 문학동네

우리는 돌아서서 말을 해

우리가 싸웠던 그 때를 다시 한 번 생각했다. 나의 솔직한 모습이 그에게는 좀 부담이었던 것 같다. 그 이후로 그와 함께 있는 동안 나는 솔직하지 않은 사람이 되곤 한다. 솔직하지 않은 상태는 나 홀로 힘들고 말지만 괜히 솔직해졌다가 상대방과의 갈등으로 치닫는 일이 생기기라도 하면 나는 나답지 않은 이상한 노력들을 펼쳐놓고, 결국 입을 닫는다. 문제는 그런 일들이 반복되면 마음의 문도 닫게 된다는 것. 그래서 내가 택한 방법은 상대방에게 바라지 않고 솔직해지는 태도다. 나의 솔직함에 그가 거부반응을 일으켜도 내가 좋아하는 사람에게만큼은 나의 모습 그대로 그에게 다가가고 싶기 때문이고, 결국엔 나의 솔직함 때문에 우리의 관계가 단단해질 거라고 믿기 때문이다. (물론 내가 이런 노력을 기울이는 사람은 지극히 소수에 불과하다.) 누군가의 앞에서 불편한 미소를 지으며 하지도 못하는 연기를, 한 번도 배운 적 없는 연기를 하고 있는 나를 내 스스로 발견할 때. 견딜 수 없는 회의감이 밀려올 때도 있다. 나는 이럴 때면 내 인스타그램으로 팔로우하고 있는 자연과 동물들의 계정에 들어가 자연스러운 무언가를 찾아 헤맨다.

마음이 좀 안정되면 다시 연기 모드로 돌아가 본업과 인간관계에 있어 열심히 하는, 잘하는, 누군가로 인정받고 싶어 애를 쓰고 또 연기한다. 결국엔 나의 유일한 장점인 솔직함이 점차 바래지는 느낌이다. 나다움을 잃어버리기 전에 출구가 필요하다. 그때마다 출구로 작동하는 글쓰기는 나를 더욱 나답게 한다. 그러나 글쓰기의 효용성에 대해 생각하면 언제나 답답함이 밀려온다. 글쓰기가 작가인 나 스스로를 살리지 못한다면 타인에게는, 또 내가 원하는 생명들에게는 과연 닿을만한 이야기인가 싶은 절망감이 앞선다. 그 때 나를 내가 있어야 할 곳, 제자리로 돌아가게 한 문장이 있다.

노벨문학상 수상 연설, 그 자체를 하나의 문제적, 사회적, 문학적 작품으로 만들어버린 가즈오 이시구로는 말했다.

네, 나는 망각과 기억 사이에서 분투하는 그런 개인들에 관해 써왔습니다. 하지만 앞으로 정말 하고 싶은 것은 한 민족이나 공동체가 그런 질문들을 어떻게 직시하는가에 관한 이야기를 쓰는 것입니다. 한민족 역시 한 개인이 한 것과 같은 방식으로 기억하고 망각할까요? 아니면 중요한 차이가 있을까요? 한 민족의 기억이란 정확히 어떤 것일까요? 그런 기억은 어떻게 자리 잡고 있을까요? 그 기억은 어떻게 만들어지고 통제될까요? 되풀이되는 폭력을 멈추고, 한 사회가 산산조각 나 혼돈이나 전쟁 속으로 들어가지 않게 하기 위해서는 그저 잊어야 할까요? 다른 한편으로, 의도적인 기억 상실이나 부실한 정의라는 기초 위에 과연 안정되고 자유로운 국가가 세워질 수 있을까요? 나는, 그런 것들에 대해 쓸 방법을 찾아보고 싶지만 유감스럽게도 지금 당장은 그걸 해결할 방법을 찾을 수 없다고 질문자에게 대답했습니다.[24]

문학사에 길이 남을 작가는 과연 어떤 글을 쓰는가. 유행과는 다른 또 다른 무언가, 조금 더 새롭거나 다른 사회적인 반향을 일으킬 만한 이야기인가. 오직 그런 내용의 이야기가 쓸모 있다면 지금 내 책장에서도 버려야 할

---

24 가즈오 이시구로 〈나의 20세기 저녁과 작은 전환점들〉 김남주 옮김, 민음사

책들이 너무도 많다. 즉 이야기는 그런 목적으로 시작할 수는 있지만 그렇게 되지 않아도 된다는 의미이며, 그렇지 않다고 하더라도 이야기로서 역할을 충실하지 못했다고 평가할 수 없다는 의미다. 내가 문학을 사랑하는 이유는 이렇게 결과에 대한 정답이 없기 때문이다. 정답이 없기에 누구든 시작할 수 있고 끝맺지 않아도 괜찮다. 그저 나의 사적인 일들을 회상한 내용을 글로 옮겨 놓으면 또 다른 누군가는 비슷한 상황을 떠올리고 이끌어내 또 다른 이야기를 만든다. 끝을 낼 수 있을 것 같은 삶의 모든 모양들은 결국 또다시 흘러가고 이어진다. 이야기에 대해 이야기를 하자면 끝이 없다는 말은 바로 이럴 때 쓸 수 있는 말이다.

나의 경우 이야기는 후회나 기쁨, 슬픔이나 희망. 이런 단어로 표현하는 인생의 전환점을 다시금 반복하지 않기 위해 글을 쓴다. 기쁜 일이면 반복하면 좋은 거 아닌가? 라는 질문을 할 수도 있겠지만 그날의 기쁨을 반복하기 위해 똑같은 상황을 만든다고 하더라도 처음의 그 기쁨만큼 감동이 밀려오지 않았었던 때가 대부분이었다. 뭐든 가장 처음이 가장 날것과 같다. 기쁨을 반복하다 보면 그건 소소한 재미 정도로 전락한다. 나의 기쁨을 그렇게 만들고 싶지 않다. 기쁨과 반대되는 모든 경우도 마찬가지다. 그래서 나는 순간의 일들을 포착하기를 좋아한다. 되도록 그렇게 하기 위해 노력하는데 그 노력이 바로 글쓰기다. 언젠가부터 인생에 순간이란 다시 오지 않을 일들임을 깨닫고 글쓰기가 더욱 절실해졌다. 이것이 내가 해야 할 일이구나 싶었던 마음은 그렇게 내가 됐다. 신기하게도 삶에서 마주한 소소한 전환점들을 글로 옮겨 놓으면 다시는 그 일이 반복되지 않을뿐더러 나의 세상이 조금씩 변한다. 보이지 않았던 것이 보인다.

며칠 전에는 이런 일도 있었다. 소설로는 한 번도 데뷔한 적이 없었던 어느 평론가가 인터넷에 소설을 연재했다. 그의 소설을 읽으며 한때 직장인 비슷한 생활을 했던 나의 상황이 떠올라 울기도 하고 깊은 생각에 잠기기도 했다. 이야기가 끌어당기는 힘에 나는 또 속절없이 끌려가고 있다가 끝내 다른 이들에게도 그 소설을 한 번 읽어봐라, 하며 권했다. 평론가의 소설. 대부분의 사람들은 편견을 장착하고 이야기를 읽었다. 내 주변에 있던 사람들도 마찬가지였다. 함께 방송일을 하던 어느 선배는 말했다. 그거 나도 읽어봤다. 뭐 별거냐 요즘 젊은 사람들은 그런 이야기를 좋아하더라, 하는 시시한 대답이었다. 평론가의 소설이라는 생각을 하지 않았더라면 조금 달랐을까. 작가가 누군지 몰랐더라면 과연 이야기에 자유했을까? 그 시작은 나 역시 그 선배와 다를 바 없었겠지만 나는 선배와 그저 '이야기'를 이야기하고 싶었다. 선배의 감상평에 나는 흠칫 놀랐다. 나와 같은 생각이 아니네? 이 이야기를 읽고도 가만히 있을 수 있다고? 의아했다. 그런데 신기한 건 그 선배와의 대화는 그 이후로 멈춰 섰다. 선배와의 만남 이후 집으로 돌아온 나는 이야기를 대하는 자세와 공감의 영역이라는 관점에서 글을 썼고 쓰고 난 뒤 작은 전환점을 맞았다. 나와 다른 이야기를 추구하는 사람들과의 인연도 그렇게 정리됐다. 생각해 보면 그녀는 나와 함께 밥을 먹는 순간엔 늘 말했다. 나는 비건은 절대 못해. 그럼 내가 대답했다. 저도 비건은 아니에요. 사실 비건은 조금 다른 개념인데.. 이렇게 설명하기에 바빴다. 같은 설명을 몇 번이나 했는 줄 모른다. 만남이 지쳤을 법도 한데, 그러나 그녀와의 전환점은 없었다. 내가 원했던 그 지점을 어느 평론가의 소설을 주제로 했던 그 이야기가 완성해 줬다.

이야기를 읽지 않고 쓰지 않아서 우리는 꽤 많은 시간 저장할 수 있는 에너지를 소비한다. 실패하고 힘겨울 줄 알면서도 애써 남아있는 에너지까지 쓰려 한다. 조금 더 잘하려는 욕심과 시기와 질투는 에너지를 소비하고 있는 나를 알아차리지 못하게 한다. 그것이 옳다고 여기게 하며 조금 더 달리도록 만든다. 우리에게는 언제나 전환점이 필요하다. 나의 하루를 종이에 펼쳐 아주 작은 에피소드를 하나만 정해 놓고 글을 쓴다. 그 행위는 내일의 나를 새롭게 한다. 세상이 달라지는 건 아무것도 없는 것처럼 느껴져도 나의 세상에서 만큼은 적어도 보이지 않던 무언가가 보이기 시작한다. 억지로 쿨해지고 싶었던 마음가짐이 한결 가벼워진다. 글쓰기를 통한 아주 작은 변화가 주변으로 퍼지고 많은 사람에게 닿으면 그건 세상을 변화시킨다.

가즈오 이시구로의 작품들은 언제나 시대를 담았다. 작가가 고백했듯, 그 시대가 영국이든 일본이든 작가는 자신이 어디에 위치해 있어야 하는가를 고민하며 이야기를 완성했다. 적어도 오늘 나의 영국을, 오늘 나의 일본을 쓰는 것이 가장 필요한 일이라 여기며 그 일을 사명처럼 견디며 글을 썼다. 그래서 그는 언제나 할 말이 많았다. 삶의 전환점이란 드라마틱하게 찾아오는 것이 아닌 우리 일상에서 작은 단위로 숨어있기 때문이다. 오늘 내가 일상에서 만난 사람들의 대화는 어떤 주제인가. 그 이야기가 세상을 변화시킬 수 있을까. 그 이야기의 출발은 어디에서 왔는가. 나는 그 이야기 속에서 어떻게 서 있어야 하는가. 꼭 내가 있지 않아도 되는 문제인가. 오늘의 전환점이 나를 혼란스럽게 한다. 돌아서서 했던 말들을 다시 되돌아본다. 거기에 있었던 사람들을 떠올린다. 다시금 반복되지 않을 모든 순간이 영화 같은 순간으로 남아 있다. 적어도 나의 세상을 변화시킬 이야기는 지금부터다.

다시 그에게로 돌아가자. 그에게 솔직하지 못하다고 나 자신을 비난할 이유는 없어 보인다. 이런 모습까지 나 자신이니까. 솔직하다는 경계는 나 스스로 정하면 될 뿐. 그저 생각을 달리하면 될 문제니까. 상대방을 존중하는 마음, 당신과 잘 지내고 싶다는 마음. 그로부터 시작한 나의 연기니까 괜찮다. 이렇게 또 소설만이 나의 나 된 모습을 이해하게 한다.

판단의 자격

최근에 방송된 한 예능프로그램을 통해 배달 오토바이 운전자들의 이야기를 들을 수 있었다. 이들의 이야기는 방송이후 큰 논란이 됐다. 생각보다 큰 액수를 벌고 있다는 게 논란의 이유였고 논란이 어느 정도 이해가 되기도 했다. 평범한 직장인이라면 결코 손에 쥘 수 없는 큰 돈을 벌고 있었기 때문이다. 물론 모두가 그렇다는 것은 아닐 거다. 어느 업종이든 평범한 99퍼센트의 사람들이 있는 법이고 나머지 1퍼센트의 특별함이 돋보이는 거니까. 이 당연한 논리는 작가의 세계에서도 마찬가지다. 글을 쓰면 누구나 작가가 될 수 있지만 사람들에게 작가로 불리는 사람은 따로 있고 그 중에서도 오랜 시간 기억되는 작가가 되는 건 또 다른 문제다. 1퍼센트 사람들의 이야기. 1퍼센트가 비극에 있거나 희극에 있거나 상관없이 우리는 언제나 그 작은 숫자에 끌린다.

다시 배달 오토바이를 운전하며 배달을 업으로 삼고 사는 사람들로 돌아가자. 도시에 사는 나도 배달 어플을 종종 이용하고 있다. 나는 요리를 좋아하지도 않을 뿐더러 나보다 요리를 잘하는 사람들이 있다면 그들이 만드는 음식을 먹는 게 맞다고 생각한다. 나의 이런 합리화가 커지면 그럴 때 배달 어플을 켠다. 어떤 날은 요리하고 배달까지 하는 시간이 이렇게 빨라도 괜찮은 건가, 싶을 정도로 음식이 빨리 도착하는 경우가 있다. 이럴 때면 음식에 대한 생각보다 이 음식을 만들었던, 배달했던 사람들의 발걸음이 저절로 상상된다.

모든 과정이 아주 바빴을 것이다. 쉼 없이 울리는 벨소리에, 다음 목적지에, 아파트 호수를 빨리 찾으려 손으로 이곳저곳도 가리키며 그들은 나의 집까지 찾아왔을 것이다. 단 한 번도 그들의 일상을 따라가 본 적이 없지만 아파트 복도에 쾌쾌히 베인 음식 냄새, 바람 냄새를 느낄 때면 나는 저절로 그들의 바쁜 일상이 그려진다. 그들의 일상이 점점 더 가까이 우리의 일상과 닿아 있다. 나는 때로 내가 좋아하는 작가들의 글 속에서 배달원들의 모습을 발견하기도 한다. 길이 남을 작가들의 글에 그들이 등장한다면 아주 먼 미래에도 '배달 오토바이'란 단어는 이미 고유명사처럼 남겨져 있을지도 모르겠다. 미래에 그들의 운명이 어찌 될지 모르고 그건 딱히 관심이 없다고 해도, 분명한 건 지금 우리에게 그들의 바쁜 일상은 꼭 필요하다는 거다.

정확하게 언제 어떤 내용의 기사였는지 정확한 정보는 기억나지 않지만 이쯤에서 생각나는 이야기가 있다. 기사의 대략적인 내용은 이렇다. 늦은 퇴근 시간. 엘리베이터를 타면 가끔 익숙하면서도 낯선 냄새가 나는데 그건 배달원들이 음식을 배달한 후 남긴 냄새다. 음식과 사람은 사라졌지만 바람 냄새와 섞인 누군가의 냄새는 여전히 엘리베이터에 남아 있고 삶의 언저리에서 누군가 또 치열하게 하루를 보냈구나하는 기자의 따뜻한 시선이 담긴 글이었다. 언젠가 나도 경험했던 일이기에 공감했고 오늘날 이 글이 더 많은 사람들에게 읽혔으면 싶었다. 글을 읽으며 우리집으로 무엇인가를 전해주러 오는 사람들에게 조금 더 따뜻한 시선이 많아지길 바랐다. 그것은 무척이나 당연한 감정이었다. 그러나 나는 기사 뒤에 적힌 댓글들 때문에 그 감수성이 와르르 무너지고 말았다.

댓글의 내용은 기사에 대한 비난으로 이어졌다. 배달원들에 대한 이야기를 너무 미화하지 말라는 것이었다. 그들은 교통 법규를 어기는 자들이고 도로위에서 많은 사람들에게 위협을 가하는 존재들이라고 했다. 그들은 자신의 일을 정당화하며 사회적 질서를 혼탁하게 하는 존재들이라는 말까지 서슴지 않았다. 오토바이를 타고 무엇인가를 배달하는 사람들이 많아진 것은 사실이다. 신호가 빨간 색으로 멈추면 자동차와 함께 달리다가 정지선 제일 앞으로 달려나와 신호가 바뀌자마자 출발하기도 한다. 빨리 가야만 더 많이 갈 수 있고 더 많이 가야만 더 많은 돈을 벌 수 있기 때문이다. 그렇게 빨리 가는 과정은 누군가에게 위협이 될 수도 있을 것 같다. 댓글들에 일부분 공감한다. 비난이 무엇 때문에 시작됐는지 알겠다. 그러나 비난 뒤에 남겨진 문제에 대한 해결은 언제, 누가 한단 말인가.

고상하게 책상에 앉아 바람을 맞지 않아도 되는 삶이 어떻게 바람을 맞는 삶을 이해할 수 있을까. 잘잘못을 따지기 전에 언제부터 잘잘못이 생기기 시작했으며 도대체 왜 이런 문제가 생겨나는가 하는 질문에서 출발해야 한다. 어느 시스템이 문제라면 그 시스템을, 사회 구조적인 문제라면 그 구조를, 인간이기에 저지르는 양심을 저버리는 일에서 비롯된 문제라면 개인의 양심선언에 관한 문제를. 그 누군가. 1퍼센트의 사람들이 움직이기 이전에 99퍼센트의 누군가가 시작 해야 한다. 며칠 전 그 기사를 썼던 기자 역시 99퍼센트의 누군가였다. 기자는 아마도 조금 더 따뜻한 사회적인 시선이 한 사람의 배달원에 대한 감수성을 바꿔 놓을 거라 믿고 싶었던 게 아니었을까. 실제로 나 역시 댓글을 읽기 전까지 오늘도 바람을 뚫고 도로를 달려줄 사람들에 대한 연민과 고마움으로 가득 차 있었다. 이 고마움의 마음은 분명 내 일상에 작은 변화를 가져다줬을 거다. 나와 다른 누군가, 내 삶의 어느 한 부분을 침범하는 누군가, 우리는 그 누군가에게 스스로 더 나은 삶을 살라 요구한다. 그 요구에 대한 방식은 비난이거나 판단이거나 조롱이어도 관계가 없어 보인다. 그러나 99퍼센트인 우리는 다른 99퍼센트인 누군가를 그렇게 대할 자격이 있는가. 있다면 어디에서 그 자격은 부여되는가. 모두가 해결하려 들지 않는 한 따뜻한 시선 이전에 막연한 비난은 용납되지 않는다. 나는 이 글에서 타인에 대한 얼굴 없는 비난에 동참하고 있는 이들을 비난하며 감히 판단한다. 우리는 그럴 수 있는 존재가 아니다.

우주로 가치 있는 삶

우리 아파트 단지 정문에서 나와 차를 타고 우회전을 하면 가끔 박스가 가득 담겨 있는 리어카가 정차 돼 있는 걸 발견한다. 리어카의 박스는 대체로 내 키보다 큰 높이로 쌓여 있고 어느 때는 박스가 쌓여있지 않았을 때도 있는데, 중요한 건 박스의 높이가 아니라 리어카의 정차 위치 였다. 한 번은 리어카가 위험천만하게 도로의 가운데까지 나와 있기도 했는데, 도대체 리어카의 주인은 어딜 갔는지 주변에 늘 보이지 않았다. 그렇게 우회전 후 몇번이고 리어카를 마주쳤고 그 때마다 놀랐던 나는 그 사실을 학습했다. 지금은 리어카가 없는 날에도 나도 모르게 아파트 정문에서 나온 후 우회전은 조심해야 한다는 느낌이 든다.

언젠가 리어카 주인을 발견했다 그는 주변에서 일상처럼 박스를 줍고 있었다. 나는 곧장 차를 세우고 도로 위에 정차하시면 안된다고 말하고 싶었다. 그의 곁으로 조심스럽게 다가갔고 드디어 차를 멈추고 비상등을 켰다. 그 순간이었다. 나보다 먼저 뒷차에서 어느 아저씨가 내렸고 아저씨는 곧장 그에게 다가갔다. 심장이 두근대기 시작했다. 언성이 높아지면 어쩌지, 아저씨가 화를 내면 어쩌지. 뭐 이런 걱정이 짧게 스쳤다. 그 때 내 키만 한 리어카가 움직이기 시작했다. 차에서 내린 그 아저씨가 리어카를 끌고 있었다. 가까스로 리어카를 인도 위에 올린 아저씨는 박스를 가져온 리어카 주인에게 말했다, 아저씨 리어카 도로 위에 세우면 아저씨가 큰일 나요. 그리고 그는 사라졌다.

비상등을 켜고 기다렸던 나는 약 1분 정도 그 자리를 떠나지 못했다. 요 며칠 우회전을 할 때마다 마음을 졸였을 뿐, 차를 세웠던 적은 오늘이 처음이었기 때문이다. 리어카를 함께 밀어 인도 위로 올릴 생각은 더더욱 없었기 때문이다. 나는 오늘 그를 비난하려 했다. 그가 우리를 얼마나 위험에 빠트리려 했는지 제대로 알려주려 했다. 나는 정당하게 당신의 잘못을 이야기 할테니 잘 들어봐라,

강조해서 이야기하려 했다. 내 비상등 뒤에서 또 다른 비상등을 켰던 어느 아저씨는 분명 나와 달랐다. 그는 비난이 아닌 함께하기를 택했다. 나의 비상등 소리가 부끄러워지는 순간이었다.

나는 소설을 읽으며 연대를 잃어버린, 함께 함을 잃어버린 세상을 만났다. 소설 속 인물들을 통해 그 세상은 소설 속의 세상이 아닌 오늘 내가 사는 세상의 이야기라는 걸 알게 된다. 우리가 사는 세상의 사람들은 대부분 개인의 행복과 불행, 어쩔 수 없는 아픈 세월들을 홀로, 지극히 홀로 감당한다. 개인의 삶의 무게가 버거운 나머지 나눠 짊어질 생각은 결코 할 수 없다. 그러나 소설은 말한다. 언제나 그건 나눠 짊어져야 할 무게들이라고 말이다.

한 사람의 이야기는 우주의 이야기와 같다. 우리는 모두 한사람. 모두 저마다의 우주가 있다. 같은 우주로 하나가 되어 이야기 할 수도 있으며 또 다른 우주라 여기며 감탄할 수도 있다. 우리 모두의 삶은 그렇게 모두 엄청난 우주로 가치있고 필요하다고 말하고 싶다. 의미없다 내던져지는 우주는 없다. 지금 이 시간은, 그리고 언제나 나의 밤은 잃어버린 나의 우주, 내 이웃의 우주를 알아차리게 해준 소설들에게 고마운 밤이다.

읽기의 의미

어디서든 기다리는 게 익숙한 나는 그날도 누군가를 기다리고 있었다. 기다림을 무료하지 않게 할 수 있는 방법은 가까운 서점을 찾는 일이다. 우리의 약속 장소는 다행히 대형마트. 마트 안에 작은 서점을 발견한 나는 일단 들어가 책을 보기로 했다. 마트에 생선을 사러 왔는데 책을 살 일이 있을까, 마트는 저녁 반찬거리를 사거나 파티가 있는 사람들이 전날에 방문하거나 아이들과 함께 잠깐 시간을 보내기 위해 오는 곳 아닌가, 이런 의문들이 있었다. 마트 안에 있는 서점이었지만 좋은 책들이 눈에 먼저 잘 띄는 꽤 괜찮은 서점이었다. 모든 것이 조금 어색하고 의외였다. 그러나 다른 관점으로 생각한다면 마트에 서점은 필요하다.

일단 아이와 함께 온 엄마 입장이다. 아이가 그림책을 들고 바닥에 엎드리기라도 하면 베스트셀러 책은 한 두 장 넘겨보다가 살 수도 있을 거고, 남편 따라, 또는 아내를 따라온 배우자의 입장은 자신의 목적을 잃은 쇼핑이 지루한 틈에 잠시 어디 좀 다녀온다는 핑계로 책장 앞에 서서 한 장, 두 장 넘겨볼 수 있는 책들이 고마운 존재일 것이다. 그렇게 그 책을 산다면, 그래서 또 다른 누군가를 서점으로 이끌어 베스트셀러가 아닌 저 먼 구석에 먼지가 쌓인 보물 같은 책을 발견하는 행운을 만나게 된다면, 충분히 마트에 작은 서점은 필요해 보인다. 인생도 사람도 그리고 나도 우연을 가장한 필연적인 일들에 언제나 이끌려 살고 있으니까, 어쨌거나 마트에 작은 서점이 있을 이유는 이렇게 충분했다.

나도 마트 안에 있는 서점을 종종 방문했다. 그러다 어느날 마트 서점에 꽂힌 책 중 너무 익숙한 저자의 이름에 놀라 두 눈을 번쩍 떴다. 몇 년 전 아빠가 말했던 아빠의 제자였던 거다. 아빠는 학교에서 40년동안 학생들을 가르쳤다. 아빠는 내가 어릴 적에도 종종 제자들의 이야기를 들려주며 제자들에 대한 애정을 표현하셨다. 내가 어른이 된 이후에는 예전만큼 자주 듣지는 못했지만 그 이름은 기억하고 있었다. 책의 저자는 아빠의 제자였다. '어이상하다? 그런데 이 친구… 고등학교 졸업한 지 얼마 안 된 걸로 알고 있는데, 수능을 보긴 한 건가?' 나는 아빠에게 바로 전화를 했다. 아빠는 그 책을 한 번에 알아차렸다. 심지어 책의 저자가 된 그 제자가 책을 들고 학교로 찾아와 선생님들께 인사를 드렸고 몇몇 후배들에게는 사인도 해줬다고 했다. 나는 조금 흥분한 상태로 다시 물었다. '이번에 아빠 제자 대학 가지 않았어? 공부하기도 바빴을 텐데 어떻게 책을 낸 거야? 그것도 아빠 지금 작은 서점이 아니라 마트에 이 친구 책이 있어!' 이건 분명 질투가 섞인 질문이었다. 사정을 알고 보니 이랬다. 아빠 제자는 이미 고등학교 때부터 책을 내기로 많은 사람과 이야기가 됐었다. 작가이자 아빠의 제자인 이 친구는 수학에 특출난 재능을 보였고 그 사실은 그 자체로 사람들의 이목을 집중시킬 만한 소재였다. 그는 이미 많은 출판사로부터 연락을 받았고 책을 낼 거라는 건 오래전부터 약속된 일이었다. 나는 좀 억울했다. 문학을 전공한 건 나여서, 문학을 공부하고 글쓰기로 돈을 벌고 있다는 나도 책한 권이 없어서, 예술을 하겠다고 흐릿한 감성 사진 하나 찍어 올리고 줄줄이 글을 써서 인스타그램에 올렸는데 그 누구에게도 아무 반응이 없어서, 그게 아니다. 그 학생

283

의 이야기가 먼저 세상에 나온 사실에 대해서 억울했다. 적어도 나의 세상에서 만큼은 아빠의 이야기가 먼저 있었으면 싶었다. 내가 우연히 마트에서 펼쳐야 할 이야기가 아빠의 이야기였으면 어땠을까 싶었기 때문이다.

아빠는 나를 사랑하고 내 동생을 사랑하고 그 전에 엄마를 사랑하는데 이 사랑들만큼 가르치는 일을 사랑하고 제자들을 사랑한다. 사랑한다는 말이 너무 거창하다면 좋다, 이 이야기는 어떨까. 내가 고등학생이었을 때, 공부를 못하는 딸이 이해가 안 됐던 아빠였지만 아빠는 공부를 강요하지는 않았다. 하지만 언제나 아빠는 아빠가 먼저 책상에 앉아 공부했다. 마치 언제나 나에게 알 수 없는 죄책감을 심어주듯 말이다. 훗날 아빠가 공부한다는 건 나를 인식하며 의도한 게 아니라는 걸 알았다. 아빠는 엄마랑 싸우는 날에도 공부했다. 아빠의 공부는 동생을 혼낸 뒤에도 하는 일이었고, 제자의 결혼식 주례를 본 그날도 변함없는 일이었다. 아빠의 공부는 할머니가 돌아가셨던 날을 제외하고는 언제나 반복하는 일상이었고 밥 먹는 것과 같은 당연한 일이었다. 이것은 곧 아빠의 공부가 나에게 보여주기 위한 공부가 아니었다는 걸 증명했다.

언젠가 나는 아빠에게 말했다. '이렇게 아빠처럼 계속 공부만하면 너무 지겨울 것 같다. 이렇게 공부해야 하는 게 선생인데 왜 다들 공부해서 또 공부하는 선생 하려나 모르겠다.' 했다. 아빠가 공부하는 이유에 대한 대답은 진짜 별 거 없었다. 아이들을 가르치려면 공부를 해야 하니까 하는 거, 그게 전부였다. 해야 하니까 하는 거, 아빠는 그 일을 반복하고 있었다. 머리가 많이 하얘졌고 빠졌는데도 말이다. '해야 하니까 하는' 사람들의 이야기는 흔하지 않다. 대부분 하다가 말고, 하는 게 싫고, 그렇게 억지로 하다 보니까 중간에 관두거나 다른 해야 하는 걸 찾는다. 그런데 아빠는 약 40년을 해야 하는 일을 했던 거다. 평범한 사람은 수능 이후로 그만두는 공부를 말이다. 나는 이 지독한 사연에 대해 누군가 다가와 책을 내야 한다고 말했어야 한다고 생각한다. 어떻게 해야만, 어떤 마음이어야만 그 일을 그저 할 수 있는지를, 해내는 일이 어떤 느낌인지를, 공부를 반복하면 또 다른 공부란 존재하는지를 아빠에게 묻고 또 물었어야 했다고.

우리는 모두 한때 비범함을 꿈꾼다. 누군가는 부유함을, 누군가는 건강함을, 누군가는 우주선 타는 일을, 전세계 베스트셀러 작가가 되는 일을 말이다. 하지만 그 일들이 비범함이라는 걸 누가 정했던가. 스스로 오늘의 나를 비범하다 할 수는 없을까. 지금부터 아무것도 하지 않고 어제 했던 일을 반복하라는 게 아니다. 오늘의 나로 만든 모든 세월을 헛되다고 생각하는 누군가 있다면 그럴 필요가 없다고 말하고 싶은 거다. 나는 확신한다. 아빠가 지금까지 공부했기에 아빠의 제자였던 그 친구의 책이 나올 수 있었다고. 지금까지는 아무도 몰랐던 일이었지만 나는 이미 알고 있었다고. 그리고 이제부터 이 글을 읽는 누군가가 알게 될 것이다. 오늘날 누군가의 빛나는 비범함은 아빠의 공부가 없었다면 불가능한 일이었다. 아빠의 공부가 그 자체로 이를 증명하고 있다. 우리가 쌓아 올린, 앞으로 쌓아 올라갈 공부들에 대해 우리가 먼저 스스로에게 때론 서로에게 비범함이라 말해주자. 그 확신으로 살아가자. 그러니 오늘 나에게 주어진 이 공부를 멈추지 말자.

작가의 말

어린 시절 바둑을 배운 적이 있습니다. 지금은 한 수도 두지 못합니다. 아이들의 집중력을 키워주기 위해서는 바둑이 꽤 좋다는 말을 들었던 부모님은 저와 동생에게 의사를 물어본 뒤 바로 기원에 등록해주셨습니다. 동생은 꽤 바둑을 뒀지만 저를 흥미롭게 하는 건 따로 있었습니다. 원장님이 담배를 피우는 모습이었죠. 원장님은 자석 바둑판에 바둑을 몇개 올리며 무언가를 설명했고 이어서 학생들에게 따라하라고 했습니다. 그리고 우리가 대국을 할 수 있도록 짝을 지어줬죠. 학생들이 바둑을 두기 시작하자 더이상 할일이 없어진 원장님은요, 창을 열고 담배에 불을 붙입니다. 바둑판 위에 있는 바둑돌의 위치보다 원장님의 담배연기가 어디로 가는지에만 관심이 있었던 저는 매번 대국을 졌습니다. 어른이 된 지금. 한 수도 두지 못하는 이유가 바로 여기 있죠.

담배 연기가 어디로갈까, 원장님이 담배를 피우는 자세는 언제나 같은데, 연기는 왜 한 번도 같지 않을까. 뭔가 이상하고 신기하다는 생각이 들었습니다. 어른이 된 저는 아무리 자세를 똑바로 잡아도 어디로갈지 모르는 그 담배연기와도 같은 것들을 발견했습니다. 그것은 문학이었고, 제 삶과 제 곁에 있는 사람들의 삶이었습니다. 저는 그 흩어지는 것에 대하여 생각하기를 좋아합니다. 명확한 한 수 보다 어디로 갈지 모르는 그 한 수에 매력을 느낍니다. 어쩌면 그것이 아무 소용없는 문학을 하는 이유일지도 모르겠습니다. 각을 잡고 시작했지만 결국엔 흩어지는 글쓰기. 오늘날 이 일을 계속할 수 있도록 함께 흩어져 가 주고 계신 나의 사람들 고맙습니다. 이 책이 세상에 나올 수 있도록 기회를 주신 행복우물 출판사에게 고마움을 전합니다. 제가 지금까지 방송작가로서 쓴 글을, 시와 소설을 읽는 저의 모습을, 제 삶의 모든 글쓰기의 순간을 나보다 더 사랑해준 백종환님께 감사합니다.